D1319511

L'ÉTÉ DES MACHETTES

Dans la même collection

Notre-Dame des Barjots	Virginie Brac
Double peine	Virginie Brac
L'Excursion à Tindari	Andrea Camilleri
L'Odeur de la nuit	Andrea Camilleri
La Peur de Montalbano	Andrea Camilleri
Conduite accompagnée	Philippe Carrese
Une belle histoire d'amour	Philippe Carrese
Une petite bière, pour la route	Philippe Carrese
Pas droit à l'erreur	Lee Child
Mesures d'urgence	Peter Clement
Rupture de contrat	Harlan Coben
Mort, mode d'emploi	Simon Kernick
Les Corbeaux nettoieront	Olivier Mau
Meurtre en direct	Carol O'Connell
Celui qui dansait sur les tombes	James Patterson
Vendredi noir	James Patterson
L'Été des machettes	James Patterson
Le Sourire de l'assassin	John Rickards
Goutte à goutte	Leah Ruth Robinson
Coup de sang	Leah Ruth Robinson
De peur et de larmes	Sandra Scoppettone
Vie et mort de Miss Faithfull	Sandra Scoppettone

À paraître

La Mort dans l'art	Sandra Scoppettone

JAMES PATTERSON

L'ÉTÉ DES MACHETTES

Traduit de l'anglais
par Philippe Hupp

Fleuve Noir

Titre original :
Season of the Machete

Le Code de la propriété intellectuelle n'autorisant, aux termes de l'article L. 122-5, 2° et 3° a, d'une part, que les « copies ou reproductions strictement réservées à l'usage privé du copiste et non destinées à une utilisation collective » et, d'autre part, que les analyses et les courtes citations dans un but d'exemple ou d'illustration, « toute représentation ou reproduction intégrale ou partielle faite sans le consentement de l'auteur ou de ses ayants droit ou ayants cause est illicite » (art. L. 122-4).
Cette représentation ou reproduction, par quelque procédé que ce soit, constituerait donc une contrefaçon sanctionnée par les articles L. 335-2 et suivants du Code de la propriété intellectuelle.

© 1977, 1995 by James Patterson
© 2004, Éditions Fleuve Noir, département d'Univers Poche,
pour la traduction française.

ISBN 2-265-07387-3

30 avril 1980, Turtle Bay

Dans la crique voisine, au sable blanc noyé de lumière, Kingfish et le Cubain voient un couple longer la plage. Deux figurines, deux traits dans le lointain. Des victimes absolument parfaites. Idéales.

Cachés au milieu des palmiers et des lis sauvages bleu ciel, les deux tueurs observent prudemment le couple qui marche vers eux et disparaît dans la crique.

Le Cubain porte un bandana rouge et jaune solidement noué autour du crâne, un pantalon kaki déchiré aux genoux et de grosses chaussures de chantier orange clair, bien râpées, achetées dans un magasin de surplus militaires de Miami. L'homme qui se nomme Kingfish est simplement vêtu d'un treillis graisseux de l'armée américaine.

Les muscles des deux hommes paraissent encore plus saillants sous le soleil féroce des Caraïbes.

Un soleil qui sème sur l'océan des brassées aveuglantes de diamants et d'astérisques, et fait miroiter la lame de la machette pendue à la ceinture du Cubain.

L'outil a visiblement beaucoup servi dans les champs de canne à sucre. Il fait environ soixante-quinze centimètres de long et est aussi tranchant qu'une lame de rasoir.

Au sud de leur cachette, l'épave absurde et désolée d'un grand schooner échoué, le *Isabelle Anne*, sert de refuge aux poissons et aux oiseaux. Une trentaine de mètres plus loin, la plage contourne des rochers noirs assez escarpés en formant comme un sentier de cristaux blancs. Devant cette pointe, on trouve des poissons de roche, des coraux, des sargasses, des bancs d'huîtres et des oursins.

Les deux tueurs s'attendent à voir bientôt le couple réapparaître sur le petit chemin. Les victimes.

Peut-être un Premier ministre à la peau noire ou cuivrée, venu d'Amérique du Sud pour passer ici quelques vacances, avec tous ses bijoux ? Ou un homme politique américain accompagné de sa jeune secrétaire et maîtresse, nourrie au lait et au dollar ?

Enfin, quelqu'un qui justifie leurs tarifs très conséquents et les frais engagés pour les faire venir dans ce petit coin de paradis. Quelqu'un qui vaut 50 000 dollars par personne pour moins d'une semaine de travail.

Au lieu de cela, ce sont deux adolescents à l'allure parfaitement inoffensive qui émergent du chemin jonché d'algues et arrivent dans Turtle Bay.

Un jeune riche efflanqué, aux cheveux longs. Une blonde décolorée avec un T-shirt *Club Méditerranée*. Des Américains.

Tout en marchant, ils se débarrassent comme ils le peuvent de leurs vêtements, de leurs sandales, de leurs sous-vêtements. Petites couilles et petits seins à l'air, ils hurlent quelque chose du genre « le dernier dans l'eau a perdu » et courent se jeter dans les vagues qui scintillent.

Une dizaine de mètres au-dessus d'eux, les mouettes bêlent. On dirait presque des brebis perdues à flanc de montagne.

Aaaaa ! Aaaaaa ! Aaaaaa ! Aaaaaa !

L'homme nommé Kingfish éteint dans le sable un gros cigare à la cape sombre, et un petit gémissement animal s'échappe de sa gorge.

— Ne me dis pas qu'on a fait tout ce chemin pour tuer ces deux petits merdeux.

— Attends, on verra bien, fait le Cubain, prudent. Ne les perds pas des yeux.

— *Aaarrhh ! Aaarrhh !* glapit pathétiquement le gamin, debout dans l'eau, pour imiter les mouettes.

La belle jeune fille blonde hurle :

— J'y crois pas ! C'est vraiment trop génial ! Ce que c'est beau !

Elle plonge dans les vagues bleutées aux reflets d'argent et lorsqu'elle refait surface, ses longs cheveux se sont collés contre son crâne. Elle a de tout petits seins blancs pointés vers le haut, la peau hérissée par la fraîcheur de l'eau.

— Ça y est, je suis déjà amoureuse de cet endroit ! Je ne veux plus rentrer ! Gramercy Park… *beurk !* Je crache sur la 23e Rue Est ! Beurk ! Vive les vacances !

Le Cubain lève lentement la main au-dessus des lis bleus et des buissons d'épineux. Il fait un signe en direction d'une berline verte garée sur une butte noyée dans une végétation luxuriante, qui domine la plage.

Un coup de klaxon, un seul. Leur signal.

Un silence étrange prend possession des lieux.

Les battements de cœur et le bruit du ressac. C'est quasiment tout.

Le garçon et la fille s'allongent sur leurs douces et épaisses serviettes de bain pour se sécher au soleil. Ils ferment les yeux, et au dos de leurs paupières apparaissent des kaléidoscopes aux couleurs changeantes.

La fille se met à fredonner : *Eastern's got my sunshine…*

Le garçon émet un gargouillis inconvenant.

Quand la fille ouvre un œil, elle ressent comme une grande claque sur le haut du crâne. Il fait horriblement chaud, tout à coup, et elle a la tête qui tourne. Elle commence à bafouiller « ahhhh » mais s'étrangle, la gorge pleine de sang, un sang épais qui fait des bulles.

Pop… pop…

L'écho des détonations, relativement discrètes, roule jusqu'aux hauteurs avoisinantes.

Les balles jaillissent d'un fusil allemand extrêmement cher, à 1 100 mètres à la seconde.

Kingfish et le Cubain viennent voir les deux corps sur leurs serviettes tachées de sang. Kingfish effleure la joue du garçon et laisse échapper un petit gémissement inattendu, comme un grognement.

— Je ne crois pas que j'aime beaucoup M. Damian Rose, dit-il à mi-voix, avec un accent français. Je regrette maintenant d'avoir quitté Paris. Il a laissé celui-là en vie… pour nous.

Le jeune homme de dix-neuf ans tousse, il va mourir. Ses yeux bleus se révulsent, il murmure : « Pourquoi ? On a rien fait… »

Le Cubain brandit sa machette et l'abat comme s'il était en pleine jungle, comme s'il voulait couper un arbre d'un seul coup.

Il frappe, dégage la lame, relève le bras.

Méticuleusement, le tueur s'attaque aux deux corps avec son grand coupe-coupe. Ses gestes sont puissants et précis. Ravageurs. Le sang gicle et l'éclabousse. Sur la trajectoire de la lame tranchante, la chair et l'os n'offrent aucune résistance. Les petites flaques de sang mousseux, rapidement absorbées par le sable, laissent quelques taches rouge foncé.

Quand la boucherie est finie, le Cubain enfonce la machette profondément dans le sable. Il recouvre le manche et la garde d'un bonnet de laine rouge.

Puis les deux tueurs lèvent les yeux vers les hauteurs et aperçoivent la lointaine silhouette de Damian Rose près de la voiture verte dont la carrosserie brille. Le bel homme aux cheveux blonds leur fait signe de revenir sans perdre de temps. Il agite au-dessus de sa tête son fameux fusil allemand.

Ils ne distinguent pas, en revanche, le sourire triomphal qui barre le visage de Damian Rose.

LA PRÉFACE

Le journal de Carrie Rose

Songez un instant à la force brute, au potentiel illimité du bon vieux meurtre gratuit. Sous réserve qu'il soit correctement géré, bien entendu.

Carrie Rose, *Journal*

23 janvier 1981, New York

A 6 h 30, le 23 janvier, jour de l'anniversaire de sa fille unique, Mary Ellen, Bernard Siegel – grand, le teint mat, légèrement myope – attaqua son petit déjeuner « habituel » chez Wolf, un delicatessen de la 57e Rue Ouest, au cœur de Manhattan. Œufs vaguement brouillés, bagels au pavot et café noir.

Après ce repas roboratif, Siegel prit un taxi qui le conduisit, dans une gadoue brunâtre, jusqu'au 800 Troisième Avenue. Il se servit de son jeu personnel de sept clés pour pénétrer dans l'immeuble moderne aux parois de verre fumé, dans les bureaux de la très prestigieuse maison d'édition pour laquelle il travaillait et enfin dans le plus vaste des petits bureaux de l'étage – le sien – pour essayer de bûcher un peu avant que les trop nombreux téléphones se mettent à sonner, et pour essayer de rentrer chez lui suffisamment tôt pour passer un peu de temps avec sa fille, qui fêtait ses douze ans.

Une jeune femme très, très bronzée, très propre sur elle, dont la longue chevelure couleur sable s'ornait prématurément de quelques mèches argentées, se tenait devant la baie au double vitrage fumé.

Elle donnait l'impression d'observer le 777 Troisième Avenue (l'immeuble situé en face, un peu plus bas) ou peut-être ne faisait-elle que contempler son propre reflet.

— Premièrement, lui dit Bernard Siegel, comment êtes-vous

entrée ici ? Deuxièmement, qui êtes-vous ? Troisièmement, soyez gentille de partir.

— Je m'appelle Carrie Rose.

Elle se retourna. Elle devait avoir vingt-huit ou vingt-neuf ans, et faisait preuve d'un calme et d'un aplomb étonnants.

— Je suis venue vous rendre encore plus célèbre que vous ne l'êtes déjà. Vous êtes Siegel, n'est-ce pas ?

L'éditeur ne put réprimer un petit sourire. Ses minces et sévères lèvres s'entrebâillèrent très légèrement. Elle l'avait appelé « Siegel ».

Ces jeunes écrivains n'ont décidément plus honte ni peur de rien, songea-t-il. Etait-elle vraiment allée jusqu'à dormir dans son bureau pour pouvoir le rencontrer ? Pour lui apporter le best-seller de l'année ? Il en avait de la chance…

Siegel plissait les yeux de triste manière pour un homme qui n'avait pas quarante ans, Siegel détaillait Carrie Rose. Mme Carrie Rose, comme il le découvrirait bientôt. Epouse de Damian Rose. Mercenaire, elle aussi.

En l'observant de plus près, il constata qu'elle était grande, qu'elle ne passait pas inaperçue et qu'elle avait une certaine classe. Dans le genre classique, très *Vogue*.

Sans doute n'était-elle pas aussi intello que ses grandes lunettes à la monture d'écaille le suggéraient, et elle avait certainement choisi ce tailleur bleu nuit à rayures pour endormir sa méfiance, selon Siegel. Une vieille ruse indienne.

— Effectivement, je suis Siegel, admit finalement l'éditeur myope. Je ne suis pas aussi célèbre que vous le dites. Et sachez que ce genre de gag, aussi brillant soit-il, ne prend pas avec moi… Vous voudrez bien quitter mon bureau. Rentrez chez vous, retournez corriger votre extraordinaire manuscrit. Prenez rendez-vous aux heures ouvrables avec ma…

— Oh, mais si, vous êtes célèbre, Bernard, l'interrompit-elle avec un sourire ingénu qui dévoilait toute sa dentition. Vous êtes tellement connu, en fait, que des personnes aussi occupées que moi se donnent beaucoup de mal pour vous *offrir* des livres à un million de dollars. Des livres qui, à tout le moins, *marqueront* l'histoire.

Siegel émit un petit rire sarcastique. Elle le méritait.

— Un million, pas plus ?

Carrie Rose rit, elle aussi.

— Quelque chose dans ce goût-là.

Elle le scruta attentivement, puis son regard parcourut le bureau.

Les étagères disparates qui tapissaient deux des murs, l'une en pin, l'autre en chêne ; une machine à écrire Olivetti Lettera posée à l'intérieur du bureau à cylindre, et les paquets de feuilles blanches soigneusement rangés à côté ; les jaquettes de livres neuves, bien brillantes, punaisées sur un panneau en liège ; les manuscrits répartis dans les casiers de différentes couleurs.

L'éditeur.

Siegel posa sa mallette, envoya valser ses mocassins et s'installa dans son fauteuil. Il dévisagea longuement la jeune femme, sans la moindre émotion.

— Bon, il est où, ce chef-d'œuvre ?

— Oh, il faudra d'abord que vous trouviez un nègre, répondit l'intruse. *Carrie Rose*. Le texte dont devra s'inspirer votre auteur est un journal que j'ai tenu l'an passé. Un journal un peu particulier, parfaitement original, qui vous coûtera *deux* millions de dollars. Il y est question… d'une horrible série de meurtres à la machette.

La belle jeune femme avait prononcé ces mots avec une grande décontraction : « … une horrible série de meurtres à la machette ».

PREMIÈRE PARTIE

La Saison de la machette

Mars-juillet 1979

Mort à Lathrop Wells

CHAPITRE PREMIER

Selon Damian, au cours des cinquante prochaines années, l'homme irait vivre sur et dans les océans. San Dominica n'était qu'un timide début. Une mission exploratoire. Une broutille. Les gens qui avaient monté l'opération ne comprenaient même pas leurs motivations profondes... les trois cinquièmes de la planète sont constitués d'eau, et de gigantesques bouleversements se préparaient...

Carrie Rose, *Journal*

24 février 1979, Lathrop Wells, Nevada

La Chevrolet Impala débile et obèse glissait sans bruit dans le désert infesté de charognards, et Isadore Goldman, dit « le Mensch », se faisait la réflexion que l'existence même d'un Etat tel que le Nevada l'étonnait un peu.

Et pourtant, la Chevrolet passait régulièrement devant des panneaux routiers sur lesquels quelque détenu de la prison de Washoe County avait tamponné PROPRIÉTÉ DE L'ÉTAT DU NEVADA.

Goldman eut même l'occasion de croiser de vrais Névadiens, une femme et de jeunes enfants avec des bottes abîmées, des bijoux en turquoise et des visages couleur bretzel.

C'est par ici qu'on a fait les premiers essais de bombes H, se dit le vieil homme de soixante-quatorze ans. A Mercury, Nevada.

Puis son esprit se mit à vagabonder.

Il se souvint d'un détail qui l'avait chagriné à propos de l'invasion manquée de la baie des Cochons, auquel le peuple américain était aujourd'hui encore prié de ne pas croire. Puis de l'accord assez flou qu'il avait passé avec Rafael Trujillo la même année, en 1961.

Le parcours de Goldman. Avec, en point d'orgue, le 24 février 1979. Le plus grand jour de sa vie.

Enfin, peut-être.

Un homme du nom de Vincent « Zio » Tuch était en train de tapoter le genou d'Isadore – pantalon de banquier à rayures grises, coupé large – d'une main tremblante et tavelée.

— Dis-moi, Izzie, siffla-t-il comme s'il agonisait, à quoi tu penses ? Tu crois qu'on va se faire piéger en beauté, Izzie ? Moi, c'est ce que je pense.

— Ohhh… tu sais, moi, je me fais trop vieux pour réfléchir tout le temps.

Le *consigliere* rembarrait sans ménagement le puissant vieux capo. C'était une question idiote, comme d'habitude, même si elle se voulait bien intentionnée.

Le vieux Tuch lui rétorqua d'aller se faire foutre. Comme d'habitude.

Et comme d'habitude, le *caporegime* puait la mauvaise lotion capillaire, une lotion qui avait servi à asperger des pellicules vieilles de vingt ans.

Goldman avait prédit, très prosaïquement, que la dernière réunion de Lathrop Wells serait d'un ridicule sans nom. Et lui-même s'avouait surpris. On aurait dit un décor en pâte à modeler. Le premier plan d'un film de Hitchcock.

Pour commencer, les deux camps arrivèrent à la ferme avec des voitures « banalisées » totalement grotesques.

Derrière les vitres teintées en vert de son Impala, Goldman observa les arrivées et fit le décompte.

Il y avait neuf chauffeurs pour conduire des voitures genre Mustang, Wildcat, Hornet, Cougar, et même une Coccinelle.

Il y avait sept gardes du corps, de vraies armoires à glace façon Buster Crabbe.

Onze participants proprement dit en plus de lui et de ce zombie rabougri de Tuch.

Quelqu'un avait fait observer, lors de la dernière réunion, qu'il fallait éviter de rééditer à Lathrop Wells l'erreur des Appalaches : vingt Cadillac Fleetwood débarquant soudainement dans une ferme abandonnée. Le meilleur moyen d'attirer l'attention des locaux ou de la police fédérale.

Cette fois-ci, donc, pas de grosses limousines noires.

Les vingt-sept hommes portaient tous des complets sombres, à l'exception d'une pédale en Gucci et de Frankie Rao, de Brooklyn, que tout le monde appelait « le Chat ». Rao détonnait, avec son blouson en damier noir et blanc, sa chemise bleu électrique trop ouverte et ses chaussures blanches à la Bing Crosby.

— Quel sale con, maugréa le vieux Tuch. Ce sale con, avec ses bagues de tantouze.

— Fallait s'y attendre, bougonna Isadore Goldman.

Le vieux alluma sa première cigarette depuis plus de huit mois, puis sortit de la voiture. La chaleur était suffocante, et ça puait le cheval.

Le bâtiment, par bonheur, était climatisé.

Un climatiseur Fedders crachait de la poussière et ce qui ressemblait à des pétales de céréales dans toutes les pièces, rustiques et basses de plafond.

Goldman vit le responsable de l'autre camp chuchoter quelque chose à un type beaucoup plus jeune, son aide-de-camp. Le gars avait un petit air de Montgomery Clift, l'acteur de cinéma.

Il s'appelait Brooks Campbell, et il se rendrait bientôt dans les Caraïbes pour eux.

L'autre, le principal interlocuteur, était Harold Hill. Harry le Dégommeur pour les confrères.

Harold Hill avait passé près d'une dizaine d'années en Asie du Sud-Est, et il était difficile à cerner. Il y avait quelque chose, chez lui, d'impalpable. Isadore Goldman se disait qu'il devait être doué, comme tueur, pour se permettre de trimballer une pareille gueule de ringard.

Dix minutes plus tard, les treize négociateurs principaux s'étaient confortablement installés autour de la grande table du séjour. Face à face, bien entendu.

D'un côté, des hommes à la peau plutôt mate, avec un petit air européen.

De l'autre, des gaillards tous taillés comme des joueurs de football américain.

— En guise d'introduction, commença Goldman après avoir laissé tout le monde bavarder quelques instants, je vous rappellerai que, lors de notre dernière réunion, le 17 janvier, nous étions convenus de confier la réalisation de notre projet à Damian et Carrie Rose, sous réserve de leur disponibilité.

Goldman regarda par-dessus ses lunettes à monture argentée. Pour l'instant, pas d'objections.

— En conséquence de quoi, reprit-il, les Rose ont été contactés à leur hôtel parisien. Il s'appelle le Saint-Louis. Fréquenté par des marchands d'armes depuis plusieurs guerres.

« Les Rose ont eu un mois pour dresser les grandes lignes d'un projet susceptible de satisfaire les deux parties présentes à cette table. Ils ont néanmoins préféré ne pas assister à cette réunion.

Le *consigliere* releva encore une fois la tête, puis entreprit de lire la vingtaine de pages que les Rose lui avaient envoyées. Ce document esquissait deux scénarios pour les opérations envisagées. L'un s'appelait « Assassinats gouvernementaux systématiques », l'autre était simplement intitulé « Machette ».

Le texte comprenait également la liste des avantages et inconvénients que présentait chacune des deux propositions.

En fait, ce qui semblait impressionner les deux parties en présence – ce qui avait impressionné Goldman lui-même –, c'était le sérieux avec lequel les deux projets avaient été imaginés et étudiés.

Les auteurs s'acharnaient à préciser qu'il ne s'agissait que d'une « ébauche » à caractère « expérimental », mais rien ne semblait avoir été laissé au hasard. Il n'y avait pas plus méticuleux que Damian Rose.

— Leur devis définitif, déclara Isadore Goldman, s'établit à un million deux. Pour ma part, je trouve cette estimation raisonnable. Je pense même que ce n'est pas cher… Je pense également que ce Damian Rose est un génie. Sa femme peut-être aussi, d'ailleurs. Messieurs ?

Bien entendu, Frankie Rao fut le premier à vouloir donner son avis.

— Eh, Izzie, on parle francs ou dollars, là ? hurla-t-il. Ces malades, ils parlent de dollars, c'est ça ?

Goldman observa que leur homme, Harold Hill, paraissait vaguement surpris et irrité par l'intervention du mafioso new-yorkais.

Le jeune homme qui ressemblait à Montgomery Clift se contenta, lui, d'afficher un grand sourire. *Brooks Campbell.* Bien vu, songea Isadore Goldman. Voilà un garçon intelligent. Il va faire baisser la tension d'un cran.

Pour la première fois depuis le début de la réunion, la plupart des hommes assis autour de la grande table de bois s'esclaffèrent. Les deux parties se mirent à rire. Frankie Rao lui-même s'étranglait.

Quand les rires se calmèrent, Goldman fit un petit signe de la tête à l'homme aux cheveux châtains qui, à l'autre bout de la table, n'avait toujours pas dit un mot. Puis il fit un autre signe au représentant de leur camp, Harold Hill.

— Ce montant comprend-il tous les frais ? demanda simplement Hill.

Le jeune homme qui se trouvait à côté de lui, Campbell, acquiesça comme si cette question était également la sienne.

— Il comprend tous les frais, confirma Isadore Goldman. Les Rose pensent qu'il leur faudra environ un an pour mener le projet à bien. Ils devront faire appel de vingt à trente autres professionnels à divers stades de l'opération. Ce sera un vrai *Who's Who* de l'élite des mercenaires.

— C'est donné, fit une voix grave, une voix de sénateur.

Elle appartenait à l'homme aux cheveux châtains, resté jusque-là silencieux. Charles Forlenza, quarante-trois ans, parrain de la famille Forlenza. Le patron des patrons.

— Vous nous avez obtenu un bon prix et de bons éléments, Isadore. Je n'en attendais pas moins... Je ne puis parler au nom de M. Hill, mais personnellement, je suis satisfait de ce travail.

— Pour ce type d'opération de guérilla, le prix est justifié, déclara Harold Hill à l'adresse du parrain. Il s'agit d'une mission complexe et délicate, et les Rose bénéficient d'une excellente réputation dans ce domaine particulier. Je suis très content. C'est bien.

On était le 24 février 1979. Les Etats-Unis, via une société nommée Great Western Air Transport et dont ils possédaient l'intégralité du capital, venaient de signer un des pactes d'alliance les plus intéressants de leur histoire : un partenariat à grande échelle avec la famille Charles Forlenza, de la côte Ouest. La Cosa Nostra.

Pour les deux parties, cela signifiait que l'indispensable sale travail pouvait commencer.

Ni les Etats-Unis, ni les Forlenza ne tenaient à se salir les mains aux Caraïbes, cette année-là.

C'était la raison pour laquelle leur choix s'était finalement porté sur Damian et Carrie Rose. « Les déments », comme on les avait une fois surnommés en Asie du Sud-Est.

Deux heures après la réunion organisée dans le Sud-Ouest du Nevada – au retour, direction Las Vegas –, une Buick Wildcat gris métallisé s'arrêta sur la bande d'arrêt d'urgence. C'était une longue portion d'autoroute, toute droite. Le jeune chauffeur, Melo Russo, descendit de voiture et alla ouvrir la portière arrière de la berline. Puis, poliment, il demanda à son patron de sortir.

— A qui tu parles, comme ça ? éructa Frankie Rao.

— Je t'emmerde, connard, rétorqua le jeune requin efflanqué au regard masqué par des lunettes polarisantes.

Et il tira trois coups de feu sur la banquette de la Buick. Le sang éclaboussa les vitres et la lunette, et une fine brume rouge se déposa sur les housses argentées. Puis Russo tira le corps de Frankie le Chat à l'extérieur et le hissa dans le coffre de la voiture.

Lors de la réunion, il avait été calmement décidé que Frankie Rao représentait un risque inacceptable pour Harold Hill et le charmant jeune homme qui ressemblait à Montgomery Clift.

— Fallait s'y attendre, marmonna Isadore Goldman quelque part dans le désert du Nevada.

2

Un jour – c'était en France – de juin ou de juillet, Damian s'était lancé dans une grande tirade sur la perfection du travail que nous avions effectué au Cambodge et au Vietnam. Il regrettait tellement le silence auquel nous étions condamnés. Nous avions accompli tant de choses, et nous ne pouvions en tirer gloire... Gag : à Grasse, une petite ville du Sud de la France, alors que nous étions dans un café, Damian s'est mis en tête de converser en anglais avec un éboueur très poli qui ne parlait pas un mot de notre langue. Il lui a raconté l'histoire des Caraïbes dans les moindres détails et à la fin, il lui a dit, en français : « Génial ! Démoniaque ! Non ? » Et le pauvre éboueur s'est mis à sourire comme s'il avait affaire à un gamin complètement fou...

Carrie Rose, *Journal*

11 juin 1979, Paris

Trois mois s'étaient écoulés depuis la réunion du Nevada. A Saint-Germain-des-Prés, Damian Rose se balançait dans le hamac de corde qu'il avait acheté au Printemps. L'immense terrasse grise dominait le jardin des Tuileries, la Seine et le Louvre. Dans les dernières brumes matinales, cette somptueuse vue de Paris avait tout d'un tableau de Seurat.

L'été approchait, et Rose profitait du soleil en se livrant à une activité délicieuse et totalement inutile, son unique faiblesse, la lecture de journaux et revues à sensation.

Après avoir feuilleté *Ces garçons qui venaient du Brésil*, puis jeté un œil sur les principaux articles de l'*Enquirer*, de l'édition européenne de *Time* et de *Soldier of Fortune*, il quitta son hamac et, une fois à l'intérieur de l'appartement dont Carrie et lui étaient propriétaires, changea de tenue. Ses vêtements chic laissèrent la place à la panoplie typique de l'étudiant américain en séjour à l'étranger.

Il enfila un jean délavé, une chemise de toile bleu nuit, des boots Frye, et noua autour de son cou un foulard de cow-boy rouge. Il se maquilla légèrement le pourtour des yeux. Recouvrit ses cheveux courts d'une longue perruque sombre.

Aujourd'hui, Damian Rose allait jouer le rôle d'un professeur de la Sorbonne.

Il fallait qu'il aille d'abord aux Halles s'acheter une petite provision d'amphétamines, de cocaïne et d'héroïne. Puis il avait rendez-vous avec un mercenaire qui se faisait appeler le Cubain.

Il coinça les pans de sa chemise dans son caleçon, remonta la fermeture Eclair de son jean, traversa le séjour encombré de souvenirs de théâtre en provenance de Broadway et de Haymarket.

Sortit en claquant la porte.

— *Bonjour*, lança-t-il à une *emmerdeuse* du nom de Marie, une vieille qui était toujours en train de lire des journaux devant la fenêtre du couloir.

Il descendit bruyamment l'escalier de marbre jusqu'à la cour intérieure de l'immeuble, une cour toute ronde.

Il s'installa au volant d'une petite décapotable noire. Laissa la capote en place. Baissa à moitié les vitres. Abaissa les pare-soleil. Mit des lunettes de soleil aux verres bleutés, style armée de l'air.

La voiture de sport franchit les grilles en fer forgé noir du portail, et Damian Rose commença à fredonner une chanson très ancienne qu'il affectionnait particulièrement, la belle « Lili Marlène ».

C'était une belle et chaude journée de printemps. D'une incroyable luminosité.

Une bonne odeur de pain chaud flottait dans les ruelles.

Quand le rutilant coupé noir s'engagea sur le boulevard Saint-Germain, une cycliste – une fille à l'allure sportive, en débardeur – tendit son long cou de cygne pour tenter d'apercevoir le visage du jeune homme derrière le pare-brise marbré de reflets.

La jolie jeune fille ne fut pas assez rapide. Loin de là.

A compter de ce mois de juin 1979, seules quelques personnes choisies auraient le privilège de découvrir les traits de Damian Rose.

Mardi 24 avril 1979

Machette :
Trois coupables !

3

Comptabilité… au fil des mois, nous avons dû engager plus d'une centaine de personnes différentes. Nous avons déboursé près de 600 000 dollars en frais divers. Nous avons payé des fabricants de faux papiers à Bruxelles, des faussaires, des vendeurs d'armes venus d'Allemagne de l'Est et des U.S.A., des informateurs, des dealers, des putes, des pickpockets, des spécialistes américains du renseignement, des mercenaires de première force comme Kingfish Toone, Blinkie Tomas (le Cubain), Clive Lawson. Et aucune de ces personnes n'a jamais su précisément ce que nous étions en train de monter aux Caraïbes…

Carrie Rose, *Journal*

L'expression « chiens fous et Anglais » fait indirectement allusion au fait que notre soleil vous fera griller comme du bacon. Soyez prudents !

Une pancarte sur la plage, à Turtle Bay

24 avril 1979, Coastown, San Dominica

Mardi. Le premier jour de la saison.

Le 24 avril – ce n'était pas une coïncidence – vit s'achever le procès le plus spectaculaire et le plus passionnant qu'eût jamais connu l'île caribéenne de San Dominica, cent trente kilomètres de long sur soixante-deux de large.

Le tribunal où s'était réunie la haute cour fut le théâtre de scènes inimaginables et indescriptibles.

Pour commencer, le vacarme qui régnait dans la minuscule et austère salle d'audience, bondée jusqu'aux poutres de la toiture, aurait pu laisser penser qu'elle accueillait un événement sportif, et seuls les gros ventilateurs, sortis tout droit de *Casablanca*, qui s'épuisaient à brasser l'air, semblaient échapper à la folie ambiante. L'accusé le plus intéressant, d'un point de vue strictement pervers, était Leon Rachet, âgé de quinze ans.

C'était un adolescent d'environ un mètre soixante-cinq, au visage noir comme l'ardoise, à la fois intelligent, porcin et cruel. Les longues tresses noires en épis qui lui hérissaient le crâne, déjà trempées de sueur durant tout le procès, se mirent à dégouliner vers la fin comme des brins de corde désunis sous la pluie.

Toutes les cinq minutes, la grand-mère du gamin, qui en avait la garde, ponctuait les débats en lançant depuis la galerie un immense et pathétique : « Leon ! Leon, mon p'tit ! Oh, non, mon fils ! »

— Vous êtes des assassins sans scrupules, déclara sentencieusement le juge Andre Dowdy, âgé de soixante-dix ans, à l'adolescent et aux deux adultes debout devant lui. Je n'éprouve aucune pitié pour quiconque d'entre vous. Pas même pour toi, gamin. Je vous considère tous comme des chiens fous…

Aux côtés de Rachet, Franklin Smith, trente ans, se balançait d'un pied sur l'autre comme pour faire admirer ses brodequins orange, et Chicki Holt – père de quatorze enfants avec cinq mères différentes, comme se plaisait à le rappeler le journal local à chaque nouvel article – se bornait à contempler le plafond blanc et la lente rotation des ventilateurs. Manifestement, Chicki s'ennuyait.

Huit mois auparavant, les trois accusés s'étaient approchés d'une Volkswagen New Beetle, à un kilomètre et demi du village de New Burg, et avaient braqué un touriste américain, Francis Cichoski, un sapeur-pompier de Waltham, Massachusetts, venu sur l'île pour passer des vacances et, surtout, parfaire son swing.

Au terme de cette agression commise en plein jour, l'un des trois Noirs avait frappé le Blanc de la lame de son coupe-coupe, un outil généralement utilisé pour la récolte de la canne à sucre. Cichoski était mort sur le coup. Puis ils lui avaient coupé la tête et l'avaient laissée là, la joue sur le bitume, avec sa coupe en brosse.

Durant les huit mois qui avaient suivi, pour expliquer ce meurtre, on avait évoqué les problèmes raciaux, les difficultés économiques, la frustration sexuelle, l'instinct sanguinaire, le fanatisme religieux, la musique soul et le reggae tendance porno, la démence et, enfin, les prémices manifestes d'une terrifiante révolution menaçant l'ensemble des Caraïbes. L'un n'excluant pas l'autre, bien évidemment.

Toutefois, Joe Walthey, le Premier ministre de San Dominica, avait récemment simplifié l'aspect sociologique de ce crime. Lors d'une intervention télévisée sur l'unique chaîne de l'île, bravant les coupures de son et les déformations de l'image, le dictateur noir avait déclaré : « Quelles qu'aient été leurs motivations, ces hommes doivent être pendus, sans quoi cette île ne sera jamais plus en paix avec elle-même. Souvenez-vous de mes paroles. » Et avant de disparaître enfin des écrans, Walthey avait martelé, à trois reprises : « La vie de Francis Cichoski doit être vengée. »

A 10 h 30, le juge Andre Dowdy lut son verdict d'une voix tremblante et pleine d'émotion.

— Franklin Smith, Donald Holt, dit Chicki, et Leon Elmore Rachet, vous avez été tous trois reconnus coupables de meurtre au vu des preuves présentées devant moi et ce tribunal. Vous serez tous trois conduits à la prison de Russville pour y être pendus dans un délai qui ne pourra excéder une semaine. Que Dieu ait pitié de vos âmes. Et de la mienne.

— Et d'ton cul, aussi ! s'écria soudain Leon Rachet alors que le silence était retombé sur la salle. Et d'ton cul, Dowdy *man*.

Franklin Smith se tourna vers l'adolescent, grimaça, et murmura : « Oooh, Leon, Leon, *man*. »

A 10 h 40, dans une énorme déflagration, la toiture grise de la Potts Rum Factory s'envola comme le chapeau d'un comique, puis d'immenses flammes orange et rouges jaillirent dans le ciel d'azur.

En l'espace de quelques minutes, la distillerie de rhum de Coastown avait disparu, et tout un pâté d'immeubles de la capitale s'était embrasé.

A 11 heures précises, dans les mines de bauxite de Cow Park, deux contremaîtres blancs furent passés à tabac à coups de battes de base-ball.

Sur le parking réservé aux cadres, une centaine de vitres de voitures volèrent en éclats.

Le restaurant de la direction fut pris d'assaut ; côtes de bœuf et poulets rôtis s'évanouirent dans la nature, ou finirent piétinés.

Pendant ce temps, dans la salle d'audience du tribunal de Coastown, Franklin Smith et Chicki Holt hurlaient des obscénités au juge Dowdy. Leur avocat, un Américain aux cheveux longs qui n'avait déjà presque plus de voix, s'en prenait lui aussi au vieux magistrat. Les épithètes allaient de « mauviette » à « caillot de sang » en passant par « cul pourri » et « petite merde ».

Le jeune Leon Rachet, lui, observait la scène sans rien dire. Il plongea la main dans sa poche revolver et en sortit un béret noir qu'il ajusta tant bien que mal sur sa tête en sueur. Il n'avait que quinze ans, et il se voyait en croisement de Huey P. Newton, Hailé Sélassié et Che Guevara.

Tandis que les injures fusaient, il se tourna vers Franklin Smith pour lui dire de fermer « sa gueule de nègre ».

Et curieusement, Smith, qui avait le double de son âge, obtempéra.

Devant le minuscule palais de justice, les haut-parleurs fixés sur le toit d'un minibus Volkswagen aux couleurs de l'arc-en-ciel crachaient du reggae à plein volume. Bob Marley.

C'était également Bob Marley et ses Wailers qu'on entendait psalmodier depuis les énormes radiocassettes disséminées dans la foule agglutinée sur les trottoirs bordés de palmiers.

Des visages noirs crispés par la colère s'en prenaient au bâtiment officiel comme s'il était vivant. Des gamins agressifs brandissaient des affiches vantant la cause du colonel révolutionnaire Monkey Dred, ou représentant Sa Majesté Impériale Hailé Sélassié. De beaux enfants au visage innocent agitaient de jolies banderoles peintes à la main – AMIRAL NELSON, DEHORS ; LAURENCE ROCKEFELLER, DEHORS ; SAN DOMINICA EST UNE RÉPUBLIQUE NOIRE.

Les policiers de la ville, joues luisantes, remontèrent Court Street en rangs serrés, derrière leurs boucliers anti-émeutes transparents. Les gens leur lançaient des fruits pourris. Des mangues, des noix de coco vertes, des petits melons.

Un homme en treillis, la peau veinée comme une coquille de noix, vint se planter devant une caméra en faisant une étrange grimace et en hurlant : « Ça va être mo'tel ! »

Il devint aussitôt célèbre sur toute la planète.

A 11 h 15, une charge de plastic pulvérisa cinq voitures de location Hertz à l'aéroport Robert F. Kennedy, situé à quelques kilomètres de Coastown.

A 11 h 30 les trois meurtriers noirs sortirent du tribunal sous bonne escorte. Le péristyle du palais de justice était déjà chauffé à blanc.

San Dominica allait bientôt entrer dans l'ère de la terreur.

Leon Rachet, quinze ans, portait une chemise à fleurs fluo et des lunettes noires de Tonton Macoute. Béret noir vissé de travers, sur l'œil. Mo'tel.

Rachet commença par afficher un large sourire en brandissant au-dessus de sa tête ses poignets menottés, tel le vainqueur d'un combat sportif. Puis, quand les policiers l'entraînèrent dans l'escalier d'un blanc aveuglant, il se mit à hurler en prenant littéralement le ciel à témoin :

— Dred vous tuera, *man* ! Monkey vous tuera tous ! Il va tous vous égorger.

Et de s'époumoner en répétant le nom d'un révolutionnaire de l'île.

— Monkey Dred, il a même égorgé ma tante ! Eh ouais !

Soudain, au milieu de la foule, un Noir bien habillé se mit à crier, par-dessus le brouhaha : « Seigneur Dieu, *man*. Oh, Dieu du ciel ! »

Quelqu'un avait lancé en l'air, très haut, un Frisbee argenté qui brillait dans le soleil. Le disque redescendit vers la foule en décrivant une courbe, vers les condamnés menottés.

Quand le jeune Leon Rachet parvint au pied des marches du palais de justice, quand s'ouvrit la portière arrière de la Rover de police noire qui l'attendait, il leva les yeux vers le Frisbee qui plongeait dans sa direction – et un Blanc en complet colonial jaillit hors de la foule, arme au poing. Le gamin fou prit trois balles en pleine tête, à bout portant.

Carrie Rose regarda l'étrange adolescent possédé s'écrouler. Elle se trouvait parmi les nombreux touristes blancs regroupés derrière le cordon de police. Il ne lui restait qu'à espérer que les autres opérations de terreur se passeraient aussi bien.

Aéroport Robert F. Kennedy, Coastown, San Dominica

Mardi soir

A 9 h 45 ce soir-là, un Boeing 727 d'American Airlines entama en douceur son approche vers l'aéroport Robert F. Kennedy.

Le lourd appareil argenté descendit si bas qu'il paraissait frôler les eaux bleu-noir de la mer des Caraïbes.

De gros feux clignotaient aux extrémités de son empennage, toutes les secondes, semant sur les flots sombres de superbes reflets rouges.

Tapi dans l'obscurité près d'un poste de kérosène, non loin de la piste deux, Damian Rose observait ce bel atterrissage avec le plus grand intérêt. Il s'assura une dernière fois de n'avoir rien laissé au hasard.

Pendant ce temps, sur la piste un, les pneus du 727 touchaient déjà le sol. Une toute petite secousse, un couinement à peine audible. Devant le terminal principal, un groupe de calypso déjà bien défoncé commença à jouer.

Les roues de l'avion crissèrent lorsque les freins et le système d'inversion de la poussée des réacteurs entrèrent en action.

Quand l'appareil eut parcouru la moitié de la distance qui le séparait de son point d'arrivée, Damian Rose se vit contraint de prendre une décision. Il épaula une coûteuse carabine de fabrication allemande et, dans le champ vert, bien net, de sa lunette de visée nocturne, ajusta une petite boîte noire posée sur la piste.

Il tira à trois reprises.

L'explosion de la bombe artisanale noya les détonations de l'arme et éventra l'avion de ligne.

Quand le 727 s'immobilisa enfin, des flammes jaillirent du milieu de la carlingue et, par les hublots, gagnèrent les ailes.

Les portes s'ouvrirent automatiquement et les toboggans se déployèrent. Les passagers commencèrent à s'échapper de l'appareil. Certains d'entre eux étaient en feu.

Les deux véhicules de secours de l'aéroport mirent un certain temps à rejoindre les lieux de la catastrophe. Leurs chauffeurs inexpérimentés étaient visiblement dépassés par les événements.

Derrière l'un des minuscules hublots apparut une tête embrasée.

Une femme blanche transformée en torche vivante courut sur le tarmac. On aurait dit une croix de feu.

Près de l'une des portes, une hôtesse, les doigts enfouis dans sa chevelure blonde caramélisée, hurlait des appels à l'aide.

Quatre heures plus tard, quand les pompiers eurent enfin réussi à éteindre l'incendie, on dénombra six morts et plus d'une cinquantaine de blessés parmi les passagers du 727. Et personne, sur l'île, ne comprenait les raisons du drame.

Le lendemain, le mystère commença à se dissiper.

Mercredi 25 avril 1979

Un couple sauvagement assassiné sur une plage

4

En 1967, quand nous vendions des sachets de cinquante et cent milligrammes d'héroïne, Damian me disait qu'il aspirait à devenir le plus grand esprit criminel de la planète. Il prétendait que le monde était aujourd'hui mûr, qu'il lui fallait un grand héros du crime : un homme d'une intelligence exceptionnelle, menant une vie un peu dissolue, façon William Henry Bonney – avec du Butch Cassidy pour le côté panache... Cette idée me plaisait énormément. Dans ce scénario, j'aurais été Katherine Ross.

Carrie Rose, *Journal*

25 avril 1979, Turtle Bay, San Dominica

Mercredi après-midi. Deuxième jour de la saison.

Sur la route goudronnée qui traversait Turtle Bay, Peter Macdonald – un jeune homme appelé à jouer un grand rôle dans la suite des événements – faisait sa balade à vélo, comme tous les jours, sur son Peugeot à dix vitesses.

Tout en s'énivrant des parfums de la végétation luxuriante de ce paradis tropical, Macdonald se replongeait avec délices dans ses souvenirs glorieux et dérisoires.

Peter, bientôt trente-neuf ans, était bon cycliste. Il avait l'air en forme. Sur le plan physique, il ne passait pas inaperçu. Grand et musclé, il arborait un short gris criblé de trous. Sur une jambe, on pouvait lire, en lettres dorées, *Property of USMA West Point*.

Pour le reste, il portait des baskets Converse All-Star achetées au magasin de sport Herman Spiegel à Grand Rapids, Michigan, et qui avaient déjà bien vécu... des chaussettes Snowbird gris et rouge qui avaient la faculté de débarrasser ses pieds de leurs cals jaunissants... et une vieille casquette-souvenir des *Detroit Tigers*, une casquette sale et gondolée. On aurait dit qu'il la portait depuis sa naissance. C'était presque le cas.

Sous la casquette, il y avait des cheveux châtains, taillés en brosse, à l'ancienne. Une vraie coupe West Point, bien ringarde.

Presque tout était ringard, chez Peter Macdonald : sa bonne mine de jeune bûcheron, sa très épiscopalienne rigueur morale, sa philosophie de la vie, sa tête de mule de paysan du Midwest. Tout, sauf les quatre derniers mois, cela dit. Les quatre mois qu'il avait passés à San Dominica, à jouer les barmen d'appoint, à traîner sur les plages, à forniquer. Bref, à glander.

Le terrain était maintenant plus vallonné, et les moustiques nageaient dans la sueur qui baignait son dos puissant.

Peter le ridicule, comme aimait le surnommer sa copine, Jane Cooke, en privé.

En d'autres temps, Peter avait traversé tout le Michigan en courant, comme ça, de la même manière, tranquille, désespérée et ridicule... en plein hiver... avec des bottes de marin-pêcheur qui pesaient presque cinq kilos.

En d'autres temps, il avait été militaire – le dernier des six frères Macdonald, le dernier des Super Six. Cadet à West Point, il avait ensuite servi au Vietnam et au Cambodge en qualité de sergent dans les Forces spéciales.

Souvenirs glorieux et dérisoires.

Quand les hautes herbes et les plants de bananiers se firent trop denses – trop d'insectes, trop de piquants –, Peter se rapprocha de la mer en suivant la route de côte à contresens. La fatigue commençait à se faire sentir. Il perdait la cadence. Il était en train de lâcher. Le Paradis Perdu...

Il regarda la mer qui miroitait – il avait atteint Turtle Bay – et se fit la réflexion qu'une petite baignade lui ferait du bien après le vélo.

Il allait retrouver Jane, piquer une tête avec elle… et peut-être réussirait-il aussi à la convaincre de passer l'après-midi au lit.

Mais il se sentait maintenant, très, très fatigué. Les genoux lui frottaient presque le menton. Les pédales retombaient comme des crêpes.

Stik-chhh, stik-chhh, stik-chhh, stik-chhh…

Le corps luisant de sueur, Peter émergea d'un virage serré… et aperçut Damian Rose… une trentaine de mètres devant lui, sur la route.

Un fusil à lunette au creux du coude, le grand blond regardait en direction de la mer.

La première réaction de Peter fut de se dire que l'homme se livrait à une partie de chasse improvisée. Au cochon, probablement.

Il distinguait la voiture de l'inconnu garée un peu plus haut. Une berline verte. Sur la plaque d'immatriculation, les lettres CY et quelques chiffres.

Un habitant de l'île ?… Il ne l'avait encore jamais vu… Sans doute louait-il une villa… Il avait l'air plutôt riche. Et même snob…

Instinctivement, Peter supposa qu'il était anglais… Il entrevit une étiquette Harrods à l'intérieur de la veste… Très élégant, le grand blond.

Lorsqu'il le dépassa, l'homme se retourna et lui hurla quelque chose. Presque comme s'il était en transe.

Il cria : « Constitutionnel ! » Un mot drôlement long…

Macdonald crut qu'il lui disait bonjour. Il le salua de la main. Continua à pédaler.

Il accéléra même légèrement. Histoire de frimer un petit peu, il imitait Daniel Morelon. C'est ce qui le sauva, dira-t-on par la suite.

La scène ne dura pas quinze secondes. Quinze secondes folles, qui allaient faire basculer des vies entières.

Encore un virage, et alors qu'il redescendait à toute vitesse et que son vélo sifflait comme une batte, Peter entendit du bruit. Quelque chose bougeait dans les buissons verdoyants qui s'étendaient jusqu'à la plage.

Il s'attendit à voir une poignée de chèvres, ou quelques cochons sauvages. Il découvrit deux Noirs en sueur, torse nu, qui remontaient vers la route en courant.

L'un des hommes, le Cubain, était couvert de sang. Des taches qui ressemblaient à des empreintes de doigts.

Tout cela finirait par déclencher des ondes de choc qui ébranleraient la CIA, la Cosa Nostra et le gouvernement san dominicain… Pour un million deux cent cinquante mille dollars, les Rose n'étaient pas censés laisser des témoins.

Quant à Peter Macdonald, il était en bien mauvaise posture… mais au moins, il avait réussi à prendre la fuite.

5

A Paris, au cours des mois qui ont précédé notre départ pour les Caraïbes, il n'a pas dormi plus de trois ou quatre heures par nuit. Il se couchait généralement vers cinq heures du matin, après être resté assis des heures devant sa lampe en col de cygne, l'ampoule presque dans les yeux, à réfléchir. Il dormait trois ou quatre heures, et il se levait au plus tard à neuf heures. Pour réfléchir encore aux machettes.

Carrie Rose, *Journal*

Michael O'Mara et sa femme, Faye, marchaient lentement, très lentement.

Ils adoraient le sable et trottinaient vers l'ouest, de crique en crique.

Faye, soixante-quatre ans, fredonnait machinalement un air de sa composition. « Elle vend des co-qui-lla-ges... sur-la-pla-ge. »

De loin, on aurait dit deux vieux. Deux hommes.

Ils contournèrent un gros rocher et débouchèrent sur Turtle Bay.

Tous les quatre ou cinq pas, Mike remontait son grand caleçon bleu roi. Il marchait les pieds écartés, tel un énorme canard arthritique.

— J'ai mal partout, je suis épuisé. Comment veux-tu que je dorme, au prix où est la chambre ? C'est invraisemblable. Quarante... non, c'est combien, encore ? Cinquante... Non, quarante. Disons, *trente* dollars chaque fois qu'on ronfle... Je vais attendre d'être à Coastown pour dormir à ce prix-là. A ce prix-là, je vais même attendre qu'on soit rentrés s'il le faut.

Le rire de Faye frôla la longue cendre du cigare de Mike.

— C'est extrêmement drôle, Miguel. (Elle se baissa pour ramasser un coquillage, et dans son maillot de bain une pièce, son ventre rebondit comme un ballon de plage.) Ha, ha, ha. Je suis pliée en deux. Hi, hi, hi. Tu vois, je ris.

— Rigole, rigole. A Coastown, la chambre double est à trente dollars, petit déjeuner compris. Là, je pense que je pourrais peut-être dormir. En faisant attention. En sautant le repas du soir. De toute façon, c'est pas leurs steaks de chèvre qui vont me manquer…

La fin, Faye ne l'entendit pas. Mike et son disque rayé. Elle avait l'habitude. Non, la grosse dame aux cheveux blancs semblait surtout contrariée par le coquillage qu'elle venait de trouver.

— Il y a des gens, je ne sais pas ce que je leur ferais. (Elle soupesa le petit coquillage d'un geste très professionnel.) Dire qu'ils font des cendriers avec ces choses magnifiques. Ces merveilles de la nature. Quel gâchis. Et quel mauvais goût !

Mike O'Mara examina brièvement le nouveau trésor de sa femme. Il crut entendre quelqu'un approcher et se tourna vers les buissons. Rien. Il n'y voyait plus grand-chose, avec l'âge.

Il jeta son coquillage dans le filet qu'il traînait sur le sable. Commença à avoir l'impression d'être un employé de Fairmount Park en train de nettoyer la pelouse. Faye et ses coquillages à la con.

— Qui aura le privilège de recevoir cette œuvre d'art ? demanda-t-il d'un ton très posé qu'il utilisait rarement avec elle, le ton dont il se servait en qualité de « brave Mike », portier et fournisseur de services divers au Rittenhouse Club de Philadelphie.

— Celui-là, ce sera pour Libby Gibbs. (Faye se pencha pour ramasser un autre coquillage, un murex rose, lui semblait-il.) Mmm… ce qui fait qu'il reste encore Tante Betsy, Bobo, Yacky. Et Mama.

Mike se baissa pour asperger d'eau de mer fraîche ses chevilles, ses pauvres chevilles brûlées, enflées, bientôt couvertes de cloques. Putain de saloperie. Claquer son bon pognon pour subir des tortures pareilles ?

Lorsqu'il se redressa, il prit sa femme par le bras. C'était mou, ça bloblottait. Bon, d'accord, ce voyage, il le lui devait. Sincèrement. Une deuxième lune de miel ? On pouvait appeler ça comme on voulait.

— Faye Wray, lui dit-il. C'est juste que je n'arrive pas à comprendre pourquoi nous sommes obligés de prendre l'avion pour aller à perpète, sur une île... pourquoi nous sommes obligés, ensuite, d'acheter des cadeaux pour tout le monde et la famille de tout le monde. Bon, on serait sur l'île de Pâques, on ramenerait des lapins en chocolat, d'accord. Mais là ?

Tout à coup, Faye O'Mara parut en proie à une tristesse et une lassitude immenses. Elle était en train de se dire que ses enfants se moquaient de tout ça, désormais. Mike, lui, s'en fichait éperdument depuis longtemps. Plus personne, dans ce vaste monde, n'accordait plus la moindre attention à ce qu'elle pouvait penser.

— Dis-moi, Mike, demanda-t-elle très sérieusement, tu ne t'amuses pas, ici ?

Et, de grave, le visage de l'Irlandaise se fit souriant. Eh oui, il fallait toujours qu'ils se chamaillent, mais ils avaient en commun ce quelque chose d'indéfinissable qui faisait qu'elle finissait par sourire et par avoir pour Mike des élans de tendresse.

Cependant, elle n'obtint jamais la réponse à sa question.

Car Mike O'Mara courait, pour la première fois depuis quinze ans, en haletant bruyamment. On aurait dit qu'il avait les genoux bloqués.

Effaré par ce qu'il voyait, il fit signe à Faye de rester en arrière.

— Va-t'en, Faye. Va-t'en.

Le portier de Philadelphie venait de trouver une machette ensanglantée fichée dans le sable, jusqu'au manche. Il avait découvert les deux hippies tués et mutilés par le Cubain et Kingfish Toone.

Une horde de chèvres sauvages affamées les avait trouvés avant lui.

6

Nous oublions que les policiers sont, pour la plupart, des êtres humains relativement simples d'esprit. Damian affirme que, d'une manière générale, ils ne sont pas armés (si je peux dire) pour faire face à la personnalité créatrice (criminelle). Ils en sont incapables aujourd'hui, et cela ne fait qu'empirer. Une génération amorale va bientôt, plus tôt qu'on ne le croit, prendre la relève. Comment imaginer que nous pourrons alors échapper à la naissance d'un nouvel Etat policier ?

Carrie Rose, *Journal*

Mercredi soir

La nuit tombait sur les Caraïbes, très vite, comme d'habitude, avec ses noirs, ses bleus, ses roses, quand le chef des forces de police de San Dominica se rendit sur les lieux du double meurtre. Un jeune couple assassiné à coups de machette. Jamais l'île n'avait connu pareil fait divers...

Une vingtaine de policiers et de militaires s'étaient déjà déployés sur la plage, tels des ingénieurs venus constater l'évolution d'un chantier.

Ils prenaient des notes. Des mesures. Déployaient des civières et des bâches jaunes qui, de loin, ressemblaient à des cirés.

Les casques coloniaux des policiers flottaient au milieu de la foule comme des ballons de baudruche.

Avant toute chose, le chef de la police commença par compter les précieux casques dont étaient coiffés ses hommes.

Puis, calmement, le Dr Meral Johnson fendit d'un ventre déterminé le cercle bourdonnant – maillots de bain, jeans coupés, costumes de lin, combinaisons, robes Empire exubérantes.

Plus de quatre cents vacanciers terrifiés et hagards s'étaient rassemblés sur la plage de la petite crique.

Pour voir les cadavres.

Puis pour ne pas en croire leurs yeux, et ne pas en revenir de leur chance.

Une fois à l'intérieur de ce cirque humain, le Dr Johnson s'arrêta pour reprendre son souffle. Il alluma une pipe très courte, une Albertson noire. *Pop, pop, pop, pop...*

Décidément, ce soir, les Américains ne tenaient pas en place ! Il fit un petit jeu de mots, qu'il regretta aussitôt. Il se serait donné des gifles...

A peine plus d'un mètre soixante-dix pour cent vingt kilos, portant lunettes et veste en seersucker, Meral Johnson savait qu'il donnait une image un peu légère de sa profession.

Il ressemblait davantage à un brave et sérieux maître d'école antillais – ce qu'il avait été – qu'à un flic à la Joseph Wambaugh venu résoudre une sordide affaire de meurtre. A un plouc du coin qui cirait ses chaussures à l'huile de palme et se brossait les dents avec du soda chaud.

Eh bien, tant pis, se dit Meral Johnson. Allons-y quand même. Et sans plus attendre, l'imposant policier s'attaqua à l'affaire des Meurtres à la machette.

Presque instantanément, rouge comme une pivoine, le directeur du Plantation Inn tout proche, un Allemand, le prit à partie :

— Vous en avez mis du temps ! Et maintenant, vous vous arrêtez pour fumer la pipe ?

Le Dr Johnson ignora le gérant de l'hôtel comme il eût ignoré un moucheron tournant autour des revers de son pantalon. Avant de s'adresser à ses subordonnés, il contourna les bâches jaunes qui recouvraient les restes des corps des deux jeunes gens.

Ayant parcouru quelques mètres, dos à la mer, le chef de la police se borna à *contempler* la scène du double meurtre. Il s'efforça d'analyser calmement la situation.

Le directeur du Plantation Inn avait apparemment ordonné à son personnel d'établir un cordon de sécurité autour des deux cadavres.

Les serveurs, pour la plupart de vieux Noirs aux cheveux blancs payés moins de trente dollars la semaine, se tenaient droits comme à la parade dans leurs vestes blanches amidonnées. Ils portaient des souliers vernis dont la pointe brillait, et brandissaient des torches empruntées à la véranda du restaurant. Ils avaient tous l'air tristes, dignes et, surtout, respectueux.

C'était un spectacle extraordinaire, à la fois colonial et primitif, et Johnson prit soin de s'en imprégner et de le graver dans sa mémoire avant d'affronter la suite. Cette nuit promettait d'être un vrai supplice.

Quelle scène, quelle tragédie, quel mystère ! Jamais il n'avait été confronté à un tel cauchemar.

Le Dr Johnson commença par solliciter le constable du secteur de Turtle Bay, aussi inexpérimenté que terrorisé.

Depuis son arrivée, Bobbie Valentine, vingt-huit ans, avait passé le plus clair de son temps agenouillé devant les bâches, le visage en deuil, donnant l'impression qu'il allait être malade.

Meral Johnson s'accroupit et s'adressa à l'agent dans un anglais assez pur, très Oxford-Cambridge. Pas de trace de patois des îles.

— Quelle est votre opinion, Bobbie ? lui demanda-t-il avant de fournir lui-même la réponse : Je crois que ce pourrait être un coup du colonel Dred. En tout cas, il a contacté la presse pour revendiquer les meurtres.

Sans laisser au constable l'occasion d'émettre un avis, le directeur d'hôtel allemand donna de la voix.

— Je suis Maximilian Westerhuis, proclama-t-il avec une emphase presque régalienne. Je dirige l'hôtel Plantation Inn. Ces deux morts…

L'énorme policier se releva à une vitesse déconcertante, l'œil noir. Et Johnson, dont l'air mauvais était tout à fait convaincant, posa la première question qui lui vint à l'esprit :

— Vous voulez faire des aveux ?

Désarçonné, Westerhuis recula d'un pas.

— Bien sûr que non. Des aveux ?… Ne soyez pas absurde…

— Dans ce cas, je suis actuellement en train de m'entretenir avec cet excellent policier. (Le Dr Johnson reprit son ton habituel, un murmure poli :) Veuillez avoir l'obligeance de m'attendre, monsieur Westerhuis. De l'autre côté du cercle.

L'hôtelier, un homme de grande taille, aux cheveux blonds cendrés, n'ajouta rien. Il repartit, furieux.

— Nazi, marmonna Johnson – une évidence qui échappa totalement au constable Valentine. Il faut que je règle le problème de cette foule de curieux. De manière intelligente, si possible.

Tout en fumant sa pipe noire, le chef de la police reprit sa navette entre les lourdes bâches jaunes. Il les soulevait très délicatement, puis les reposait en respectant exactement la disposition d'origine. On aurait presque dit qu'il veillait sur des bambins et voulait s'assurer qu'ils dormaient.

Il parut s'attarder très longuement au-dessus de la tête de la jeune femme, qui avait été tranchée.

Avec sa petite lampe de poche, il examina les visages et les crânes ensanglantés.

La clientèle de l'hôtel le laissa travailler en silence. Tous les yeux étaient braqués sur lui, mais jamais il ne releva la tête. Pour la première fois depuis des heures, à Turtle Bay, on entendait les oiseaux et le ressac.

Pour finir, la tête toujours basse, aussi respectueux que les vieux serveurs noirs, le Dr Johnson retourna voir son constable.

Il avait passé les dix dernières minutes à danser au ralenti au milieu des corps mutilés dans un unique but : gagner la confiance de l'assistance. Lui donner à penser qu'il avait déjà eu affaire à ce genre de crime.

A présent, peut-être allait-il pouvoir véritablement enquêter.

Il commença par prendre son mouchoir pour extraire le coupe-coupe du sable, et brandit l'outil à large lame pour l'examiner à la lueur de la lune.

— Humm… fit-il à voix haute. Assurez-vous que personne n'emporte de souvenirs. (Puis, discrètement, il glissa au constable Bobbie Valentine :) Les Américains adorent les souvenirs macabres. L'incendie de l'avion nous aura au moins appris cela…

« Et une dernière chose, Bobbie. Faites passer le mot : si un seul de ces hommes s'avise de vendre son casque comme souvenir, dites-lui bien que, demain, il se retrouvera dans la rue, à vendre des coquillages et des colliers. J'ai compté seize casques en arrivant !

Coastown, San Dominica

A 19 h 45, le jeune homme qui ressemblait à Montgomery Clift était assis seul, dans l'ombre, à une table de la véranda de l'hôtel Coastown Princess.

Il sirotait un whisky Cutty Sark allongé de Perrier et battait la mesure du lent calypso de « Marianne » avec son bâtonnet. Brooks Campbell commençait à trouver le temps long.

Petit problème : il craignait que les autres clients présents dans le patio ne finissent par remarquer qu'il était tout seul.

Problème un peu plus gros : son serveur à la coiffure afro faisait tout pour qu'il s'en aille, afin de pouvoir installer plusieurs personnes à sa table.

Problème beaucoup plus gros : Damian Rose avait une demi-heure de retard. Ce devait être leur première et sans doute unique rencontre en face à face.

Brooks Campbell ne connaissait pas encore tous les détails de Turtle Bay, mais les méthodes de travail des Rose commençaient à l'exaspérer. Au début, il n'avait été question que d'une dizaine, voire une douzaine de morts à San Dominica, un peu comme lors des soulèvements de Sainte-Croix, en 1973. Maintenant, il semblait qu'on s'acheminait vers quelque chose de bien pire. Rose gérait tout à sa manière, et c'était la raison pour laquelle Campbell avait sollicité – enfin, exigé – ce rendez-vous.

A 20 h 15, Damian Rose n'était toujours pas là.

Campbell contemplait l'immense cascade artificielle déverser des mètres cubes d'eau dans la piscine hollywoodienne, juste sous le patio. Il regardait les couples en maillots de bain déambuler dans les belles et sinueuses allées bordées de palmiers et de bougainvillées.

Le petit orchestre jouait maintenant du reggae : *The Harder They Come*. De la musique révolutionnaire.

Vers 20 h 45, Brooks Campbell comprit qu'il ne rencontrerait pas Damian Rose.

Et quelque chose lui disait que personne n'aurait jamais l'occasion de voir en personne le mystérieux mercenaire.

A neuf heures, le beau jeune homme de trente et un ans régla ses consommations et rentra à pied à l'ambassade américaine, douze rues plus loin. Des battements sourds de tambours de guerre résonnaient dans le lointain. Dès son arrivée, il apprit la nouvelle la plus inquiétante de sa carrière.

Quelqu'un avait aperçu un grand blond à Turtle Bay, cet après-midi-là.

Quelqu'un avait réussi à entrevoir le visage de Damian Rose.

Turtle Bay, San Dominica

Le coupe-coupe abandonné dans le sable de Turtle Bay tenait à la fois de la faucille et du tranchoir de boucher.

A en juger par son aspect, il avait déjà beaucoup servi dans les champs de canne à sucre ou dans les West Hills dévorées par la forêt tropicale. La lame mesurait soixante-quinze centimètres de long et dix centimètres de large. Elle était lourde, et d'excellente qualité. Le manche en bois, d'une longueur de dix-sept centimètres, déformé et couvert d'entailles, tenait à l'aide de gros rivets, comme un couteau à désosser. Quand on la tenait d'une seule main, cette machette évoquait coutelas et combats au sabre.

Le Dr Meral Johnson, qui avait trouvé refuge dans la bibliothèque du Plantation Inn où il n'y avait que des livres de poche, examina longuement l'outil à la lame tranchante comme un rasoir.

Il la détailla à la lumière d'une lampe de lecture, la fit siffler, tailla les ombres en pièces. Une arme redoutable. Johnson avait un jour vu, de ses propres yeux, une machette fendre une chèvre en deux, d'un seul coup.

Fatigué, le policier s'affala dans un vieux fauteuil club et s'efforça de faire le tri dans les détails disparates et contradictoires de l'affaire... la tuerie de Turtle Bay. L'attentat à la bombe qui avait détruit l'avion d'American Airlines. L'étrange exécution de Leon Rachet, en plein jour.

A cet instant précis, le Dr Johnson estima que, faute de piste, il avait tout intérêt à concentrer ses efforts sur les détails susceptibles de les mener – lui ou l'armée – à Monkey Dred, le révolutionnaire de l'île. Il demanda à ses hommes d'en faire autant dans leur enquête.

C'était une erreur compréhensible, mais qui allait se révéler coûteuse – une erreur escomptée par les Rose.

Les policiers sont des êtres humains relativement simples d'esprit...

Témoignages

Un joueur de tennis professionnel et son épouse, originaires de Saddle River, New Jersey, avaient aperçu un vagabond, un Noir, sur la plage, à peu près à l'heure du double meurtre à la machette.

Une vieille Anglaise avait vu des « jeunes San Dominicains au comportement bruyant et agressif » se regrouper au milieu des palmiers royaux, juste après la plage de l'hôtel.

Un couple venu de Géorgie se rappelait avoir croisé un vieux Noir tenant au bout d'une corde une poignée de chèvres efflanquées.

Une jolie fillette de onze ans fut présentée au Dr Johnson car elle avait un témoignage à apporter, selon sa mère. La gamine expliqua que vers huit heures, ce soir-là, elle s'était enfermée dans la suite de sa mère et qu'elle s'était mise à hurler au secours jusqu'à ce que l'un des barmen de l'hôtel – Peter Macdonald – vienne défoncer la porte à coups de hache. La mère de la fillette, une actrice, voulait que le chef de la police les rapatrie toutes les deux à New York par le premier avion. Entre sanglots et cris de colère, elle l'avertit que sa fille allait faire une dépression.

Pendant ce temps, un autre groupe de « témoins » défilait dans les bureaux de l'hôtel.

— Vous êtes l'un des serveurs, commença presque à mi-voix le constable Bobbie Valentine. Je vous écoute.

Le policier rural, derrière une grosse machine à écrire Royal, était penché sur son calepin. De temps en temps, il daignait lever les yeux. Aussi succinctement que possible, Peter Macdonald tenta de lui expliquer ce qu'il avait vu, cet après-midi-là, alors qu'il faisait du vélo sur la route de côte.

Il décrivit Damian Rose comme « un Anglais assez grand, aux cheveux blonds ».

Il parla au constable des deux Noirs qui revenaient de la plage, couverts de sang. Il mentionna la carabine de précision de fabrication allemande et la berline verte ; il décrivit même la veste griffée Harrods, de Londres.

Lorsque Peter eut terminé, l'agent noir le regarda avec un sourire amusé, comme s'il n'était qu'un Américain frappé comme on en rencontrait tant sous les tropiques. Un type un peu dérangé.

— Très bien, fit simplement le constable avant de lancer : Personne suivante !

Peter sentit l'exaspération le gagner.

— Hé, vous pourriez attendre une minute ? Moins vite, d'accord ? Je sais bien que, ce soir, vous avez beaucoup de gens à voir, des gens qui sont très perturbés. Je sais bien que c'est la folie, ici… mais, cet Anglais, vous en faites quoi ?

— J'ai tout noté, répondit le Noir en brandissant son carnet. De toute façon, les tueurs, on les connaît déjà. Le colonel Dred. Un salopard. Vous le connaissez, Dred ? Non, vous le connaissez pas, Dred.

— Je ne sais peut-être pas grand-chose sur lui, mais j'ai vu un type aux cheveux blonds, un *Blanc*, là-bas, là où ces deux pauvres gosses ont été tués. J'ai vu deux Noirs couverts de sang, comme s'ils avaient étranglé à mains nues toute une classe de lycéens. J'ai eu peur, et pourtant il en faut beaucoup pour me faire peur.

Le policier semblait avoir retrouvé son petit sourire suffisant. Comme s'il savait tout. Peter se retenait de lui envoyer son poing dans la figure.

— Je sais, je sais. Un homme style anglais, blond. Grand. Une voiture verte avec une plaque qui commence par CY. On va vérifier ça, on va vérifier ça… *Bon, au suivant. Qui a encore des trucs à me raconter ?*

Et tandis que l'enquête voyait s'éloigner le seul véritable témoin… tandis qu'on s'enfonçait dans la confusion et que les erreurs s'accumulaient… le Dr Meral Johnson alla faire un tour dans le parc de l'hôtel, plongé dans l'obscurité.

7

Curieusement, les gens ne veulent jamais mourir. Surtout les jeunes. Surtout les jeunes insatisfaits qui prennent des vacances au-dessus de leurs moyens. Initialement, les premiers meurtres à la machette devaient avoir lieu dans un club de vacances, une sorte de Club Méditerranée. Et notre choix s'est finalement porté sur le Plantation Inn en raison de considérations annexes.

Carrie Rose, *Journal*

Turtle Bay, San Dominica

Dans le brouhaha du Cricket Lounge, l'un des bars du Plantation Inn, une jeune femme aux épaules cuivrées gémissait qu'elle ne pourrait jamais plus fermer les yeux sur une plage pour prendre un bain de soleil.

— Un double meurtre, comme au cinéma, répétait un type aux cheveux courts qui portait en sautoir une cuiller à cocaïne.

Derrière son comptoir, Peter Macdonald discutait avec sa copine, Jane Cooke, tout en servant des litres et des litres de rhum sous les formes les plus diverses – planteur, ti' punch, rum toddies, café jamaïcain, swizzles, fog-cutters – ainsi qu'une étonnante quantité de bons vieux whiskies.

— Je sais que ça a l'air parano, dit-il à Jane, mais on dirait que les flics ne veulent pas m'écouter.

— Cet agent, il a pris ta déposition, n'est-ce pas ?

— Oui, je crois, mais pour lui, apparemment, l'affaire est déjà entendue, Janie. Le colonel Dred ! Le colonel Dred ! On oublie tout le reste. Le grand blond, le fusil à lunette allemand. Je me pose des questions, je t'assure. *J'espère seulement qu'ils savent ce qu'ils font...* Tu vois, ce qui me tracasse, c'est qu'on aurait dit des amateurs. Tu sais, comme dans l'émission de Ted Mack.

— Ahh, Pee-ter...

La voix ondoyante du chanteur de calypso glissa jusqu'à lui.

Puis le chanteur siffla dans son micro, le tapota d'un ongle long, efféminé. Souffla doucement dans une étrange flûte de bambou torsadée.

— Faut pas avoir peur de Leon, murmura-t-il au public.

Tous des Blancs. Des couples très BCBG dont la tenue faisait la part belle au vert et au rose Bermudes.

Il se mit à chanter, en forçant son accent des îles :

— On dit qu'à San Dominica, l'amour d'une femme... c'est comme la rosée du matin... La rosée, elle fait pas la différence entre le crottin de cheval... et la fleur.

Le chanteur conclut d'un rire cette imitation assez réussie de Geoffrey Holder.

Dans la pénombre du bar, à peine éclairé par quelques lanternes rouges, quelques personnes se mirent à applaudir.

Peter Macdonald actionna une sonnette de bicyclette cachée derrière les bouteilles d'alcool, à mi-hauteur.

— Je voudrais vous chanter une magnifique chanson, reprit le chanteur. Elle parle d'une jeune femme. De sa fleur. Et puis... enfin, vous savez ce que c'est, mes amis... de l'indigne objet de l'affection de cette fille. Mon propre rival. *Une vraie merde !*

Au même moment, le chef de la police, Meral Johnson, descendait quelques marches de pierre humides et longeait une rangée de cellules dans les sous-sols quasiment médiévaux et chichement éclairés de la prison de Coastown.

Sept policiers et employés le suivaient en file indienne. Ils constituaient la quasi-totalité du personnel présent dans l'établissement à cette heure tardive.

La lugubre procession s'engagea dans un autre couloir, puis un autre encore. Au bout de la troisième rangée, un agent de grande taille et transpirant abondamment attendait près d'une porte blindée ouverte.

A l'intérieur de la cellule, le chef de la police apercevait déjà le corps du Blanc qui avait abattu Leon Rachet la veille.

Le mystérieux inconnu d'âge moyen gisait sur sa couchette, bras écartés. Ses jambes nues, velues, dépassaient du lit. Une flaque d'urine et de sang rejoignait lentement la grosse rigole longeant le couloir crasseux.

L'homme avait été assassiné tandis que le Dr Johnson se trouvait à l'hôtel Plantation Inn.

Tué dans son lit. En prison. A l'aide d'un coupe-coupe.

La machette à la finition grossière dépassait du ventre poilu de la victime. Un bonnet de laine rouge avait été soigneusement posé sur le manche.

— Monkey Dred, murmura Johnson.

— Pee-ter ! Pee-ter !

La voix douce du chanteur de calypso flotta jusqu'au bar du Cricket Lounge.

— Dis-moi, mon ami ?... Quelle est la différence entre un mariage irlandais et un enterrement irlandais ?

Un peu gêné, Peter se renfrogna, résista. Il n'avait pas envie de participer au spectacle ce soir. Pas ce soir. Pas avec l'image de ces gosses de dix-neuf ans mutilés qui lui taraudait la tête comme un ver à bois.

— Alors, c'est quoi, la différence ? s'impatienta quelqu'un, dans la pénombre.

Peter se tourna vers Jane et lut dans son regard le même... dégoût ? La même nausée ?

— Un type bourré en moins ? lâcha finalement le jeune homme aux cheveux châtains.

Il fit sonner son timbre de vélo et se sentit soudain, inexplicablement, confusément, très loin de chez lui.

Jeudi 3 mai 1979

Les touristes désertent les hôtels !

« Dites adieu à la grisaille ! »

Publicité presse pour San Dominica

Le troisième jour, neuf meurtres furent signalés dans l'île.

Deux par arme blanche, deux par balles, un par noyade, quatre à coups de machette.

En début d'après-midi, des équipes de télévision commencèrent à débarquer : des cadreurs hippies, des preneurs de son qui ressemblaient à des ingénieurs de la NASA, des réalisateurs et leurs assistants, des journalistes et des commentateurs au look très *California Dreaming*. Des équipes d'ABC, CBS et NBC envoyées par les stations locales de New York, Chicago et Miami. Apparemment, les meurtres à la machette faisaient recette, surtout à New York et à Chicago.

Tous ces journalistes et techniciens recevraient une prime de risque, comme lorsqu'ils couvraient un conflit armé, des émeutes ou des échanges de tirs avec un forcené.

Les correspondants de la presse écrite – plus calmes et moins frimeurs – commencèrent à arriver, eux aussi.

Ils venaient des Etats-Unis, bien entendu, mais aussi d'Europe occidentale, d'Afrique et d'Asie, et surtout d'Amérique du Sud. Les pays du tiers-monde étaient particulièrement bien représentés.

Les chiens de la presse flairaient une révolution !

Pendant ce temps, tant du côté de la police que de celui de l'armée, les spécialistes prédisaient que cette soudaine et incompréhensible flambée de violence serait sans lendemain – ou alors qu'elle embraserait toutes les Caraïbes.

Pour l'instant, même si tout semblait désigner le colonel Dred, le mystère restait entier.

8

> Bien avant d'avoir posé le pied aux Caraïbes, nous avions compris qu'un paysage de carte postale constituait, pour une action terroriste, le plus terrifiant des décors.
>
> Carrie Rose, *Journal*

3 mai 1979, Titchfield Cove, San Dominica

Jeudi matin. Le troisième jour de la saison.

Damian Rose, vêtu d'un jean ample et d'un T-shirt de coton bleu, escaladait la paroi aussi vite que possible afin d'atteindre l'énorme bloc de roche noire qui surplombait la route de côte.

Au fil des siècles, les alizés avaient nonchalamment ciselé vers le sommet de l'escarpement deux têtes primitives, et Rose se disait : Beaucoup d'air chaud et de soucis pour pas grand-chose.

Ancrant ses doigts dans les interstices les plus minuscules, Rose prenait appui sur d'innombrables aspérités pour se rapprocher du ciel d'azur. Il sentait les semelles de ses bottes broyer les cailloux, et la sueur, aux commissures de ses lèvres, avait un goût salé.

Difficile ascension. Au bout d'un quart d'heure, il se hissa sur une plaque rocheuse d'environ un mètre vingt de long sur quatre-vingt-dix centimètres de large. La surface de la roche était constellée d'éclats de mica brillants. Et de petits ossements de mouettes.

Depuis ce cimetière d'altitude, Damian pouvait voir tout ce qui l'intéressait.

Au lendemain du double meurtre de Turtle Bay, l'île s'était encore une fois réveillée sous un beau ciel bleu. L'air était vif et extraordinairement limpide. Un aigle survola Damian comme s'il le surveillait, comme s'il surveillait la route.

Très loin en contrebas, en dépit du beau temps, la mer était un peu agitée. Aux abords de Tichfield Cove, on distinguait les taches brunes des récifs.

Une longue et spectaculaire plage de sable blanc immaculé s'étendait jusqu'à un autre promontoire rocheux.

Damian Rose entreprit de concentrer son attention sur un homme, brun, au crâne légèrement dégarni, qui se promenait le long de la belle plage avec ses deux enfants.

Ils marchaient dans l'écume en se mouillant les jambes… se baladaient comme s'ils attendaient l'homme qui photographiait de tels instants pour les cartes postales et les cartes de vœux.

Damian sortit de son sac deux sections de tube noir rayé et les vissa ensemble. Il avait maintenant un canon. Au grand tube, il ajusta une crosse ultralégère. Il était maintenant en possession d'un fusil. Il prit la lunette de visée qui se trouvait dans son sac à dos et la monta sur l'arme.

L'homme aux cheveux bruns, Walter Marks, plongea par-dessus une petite vague bleue et disparut.

Son fils et sa fille ne semblaient pas très attirés par l'eau. Rose prit la peine de remarquer que c'étaient de beaux enfants. Tout blonds, comme leur mère.

Leur père était un crétin. Les emmener se promener, comme ça, au lendemain du double meurtre ! Quel imbécile, quel con ! Il leur avait promis des vacances et, évidemment, il tenait toujours ses promesses.

Rose colla contre son œil la lunette de visée du fusil allemand. Elle comportait un réticule à trois lignes, très fines, sans point de mire.

Il regarda Mark refaire surface, la chevelure plaquée sur le crâne. Il avait pied ; l'eau ne lui arrivait qu'à la taille. Sur son torse extrêmement velu, les poils formaient par endroits comme des touffes noires.

Dans la puissante lunette Zeiss, Walter Marks semblait si proche que Damian avait envie de tendre le bras pour le toucher.

Juste derrière la plage, le Cubain dissimulé dans les hautes herbes fit un signe de la main.

Damian songea à une curieuse et très belle expression : « Tirer un poisson rouge dans son bocal. »

Il pressa la détente, une seule fois.

Walter Marks bascula en arrière comme s'il essayait d'enjamber une vague pour faire rire ses enfants.

La balle lui avait perforé le front en dispersant des morceaux de cervelle, tels des débris de bouchon.

Les enfants se mirent à hurler en se serrant l'un contre l'autre. On eût dit qu'ils dansaient dans l'eau devenue subitement rose.

Kingfish et le Cubain firent leur apparition, armés de leurs fidèles machettes. Les deux sabreurs auxquels les Rose avaient eu la bonne idée de faire appel s'avancèrent jusqu'au rivage et pénétrèrent dans l'eau.

Heureusement, et malheureusement pour les enfants, il fallait qu'il y ait des témoins, cette fois. Et ces témoins seraient les enfants eux-mêmes.

Dommage, songea Rose l'espace d'un instant. Et pourtant, c'était parfait.

L'assassinat du président de l'ASTA. L'exécution en plein jour du président de l'American Society of Travel Agents, qui regroupait quasiment toutes les agences de voyages américaines.

Cet idiot prétentieux, qui s'était permis d'ignorer toutes les mises en garde, ne l'avait pas volé.

Turtle Bay, San Dominica

Il est dit quelque part dans les annales de la marine américaine qu'« un Marine affecté au service d'une ambassade est un ambassadeur en uniforme ».

Ces vingt-quatre Marines-là n'étaient visiblement pas en uniforme. Vêtus de leurs seuls shorts réglementaires gris, ils passèrent la matinée du 3 mai à passer au peigne fin la plage de Turtle Bay.

Les soldats bien musclés ramassèrent du bois flotté, des hippocampes, des bigorneaux, des méduses translucides et caoutchouteuses. Ils ramassèrent également des chewing-gums, des allumettes, des brins de tissu, des morceaux de chair humaine, des mèches de cheveux, un bout de doigt de femme. Ils ramassèrent tout ce qui n'était pas du sable. Tout, sans exception.

Et ils mettaient tout ce qu'ils trouvaient dans d'épais sacs en plastique frappés des lettres XYXYXY.

Puis le capitaine ordonna à ses Marines de « ratisser de nouveau le sable pour que la plage retrouve son aspect habituel ».

Depuis la route de côte, main dans la main, Peter Macdonald et Jane Cooke observaient cet improbable travail de fourmi.

Aux côtés d'un homme à la forte carrure comme Macdonald, Jane paraissait plus menue qu'elle ne l'était réellement. De près, elle s'avérait posséder une solide ossature – c'était une belle et saine fille du Midwest, avec taches de rousseur et longue chevelure bouclée.

Avant de diriger le personnel du Plantation Inn, Jane avait été prof d'anglais dans un lycée de Pierre, Dakota-du-Sud. A vingt et un ans, elle avait épousé un autre prof d'anglais. Avait perdu leur future Joyce Carol Oates lors d'une fausse couche dans un centre commercial. S'était séparée à l'âge de vingt-trois ans.

Après quoi Jane avait décidé de sortir de son Dakota inhospitalier pour explorer un peu le monde. Elle était allée en Amérique du Sud, était remontée dans les Caraïbes. Haïti, puis San Dominica. Puis Peter Macdonald. Ce Peter si drôle et un peu givré qui lui rappelait un poème, et lui faisait aussi penser à une chanson de Simon et Garfunkel, *Richard Cory*.

Avant d'échouer au Plantation Inn, Peter avait été, avant tout, le dernier – et le plus nul, à ses yeux – des six frères Macdonald. Trois stars de base-ball universitaire, deux grosses têtes, et puis Peter. Le petit Mac.

Résultat, Peter était entré à l'école militaire de West Point, comme son père – le grand Mac. Elève-officier durant deux années, il avait quitté West Point pour devenir un vrai soldat. Sergent dans les Forces spéciales, décoré deux fois, blessé d'une balle dans le dos. Un héros de la guerre. Ce qui, au milieu des années soixante-dix, avait un sens un peu particulier.

Cet hiver-là, avec un peu de chance, il s'était débrouillé pour se retrouver sous le soleil des Caraïbes. Permission longue durée…

« Apprends à te démerder », lui avait écrit son père dans une longue lettre. Son père qui utilisait rarement un langage aussi contemporain…

Il avait rencontré Jane en septembre et à la fin du mois, ils s'étaient installés ensemble. Ils vivaient et travaillaient tous les deux au luxueux Plantation Inn… pas mal.

En voyant les Marines s'épuiser sur la plage de Turtle Bay, Jane n'eut qu'une seule question :

— Pourquoi font-ils ça ?

— Ratisser le sable ? sourit Peter. Je ne sais pas. Eux ne le savent pas non plus. Quelqu'un a dû savoir pourquoi, à un moment donné. Maintenant, ils se contentent de le faire. Sur toutes les bases militaires de la planète, les soldats ratissent.

— En tout cas, c'est le truc le plus con que j'aie jamais vu. L'un des plus cons. C'est plus con que le base-ball.

— C'est encore beaucoup plus con quand c'est toi qui tiens le râteau. Mais bon, après tout... Viens, on va marcher un peu. Au fait, je te signale que le base-ball, c'est pas con.

Ils remontèrent au milieu des bananiers et des arbres à pain. Une belle jungle agrémentée de quelques perroquets et cacatoès. Sans compter ces oiseaux qui faisaient cling-cling...

Pour se protéger des insectes, Macdonald sortit sa casquette de base-ball de sa poche et l'arrima sur son crâne.

— Que vas-tu faire, maintenant, Peter ? finit par lui demander Jane.

Il soupira.

— Je ne sais pas ce qu'il faut que je fasse... La police a peut-être vu juste. Dassie Dred veut faire en sorte que ses hommes soient désormais jugés équitablement. Plus de procès expéditifs. C'est aussi simple que ça.

— Et pour l'Anglais ?

— Ah, ce fameux Blanc. Ce fameux grand blond, ce personnage qu'on dirait sorti du *Jour du Chacal*. Et qui complique notre douce et paisible existence.

Peter ramassa un caillou et le lança, le bras à mi-hauteur. Sur sa trajectoire courbe, le projectile contourna un bananier.

— Et tu sais quoi ? Voilà que je commence à culpabiliser... j'ai l'impression de gâcher ma vie. Oh non, tout mais pas ça. Je me sens bien, et voilà que je culpabilise. Tu vois, à peine revenu de cette guerre à la con, je...

Jane glissa son bras autour de sa taille si mince. Derrière lui, entre les feuilles de palmiers, elle distinguait le bleu éclatant de l'océan. C'était tellement idyllique que la plupart du temps, elle avait encore du mal à y croire.

— Dis-moi une chose, Peter Macdonald ? Où as-tu lu que *ne pas se tuer au travail* revenait à gâcher sa vie ?

La repartie de sa blonde compagne le fit sourire. Il s'approcha de Jane, lui enveloppa un sein d'une main et l'embrassa tendrement sur la bouche.

— Comment dire… c'est gravé dans ma tête. J'entends cette phrase tous les jours depuis que je suis ici. Chaque fois que je pique une tête dans la mer turquoise.

Il mit la main sur sa bouche, et sa voix se fit grave, étrange. *« Trouve-toi un vrai boulot, Macdonald. Arrête de zoner, reprends-toi pendant qu'il est encore temps, Pete. Essaie de devenir quelqu'un, ou disparais… »*

— Bref, reprit-il avec sa voix habituelle, je crois qu'il faut que je fasse quelque chose au sujet de cet Anglais. Qu'en penses-tu, Laurel ?

Jane esquissa une grimace. Dans leur fantasme des mers du Sud, dans leur vie paradisiaque sous le soleil des Caraïbes, elle était Laurel et il était Hardy.

— Je préférerais pas. Je t'assure. Je suis sérieuse, Peter.

— Il faut que j'essaie encore une chose.

Mais pour l'instant, à 8 h 30 ce jeudi matin, ils dégagèrent un petit espace sur le joli flanc de colline et se couchèrent l'un contre l'autre, tels deux missionnaires amoureux.

Peter tira doucement sur la chemise blanche nouée sous la poitrine. Jane souleva ses minces bras. Laissa la chemise glisser pardessus son cou et ses épaules.

— Si tu savais comme je t'aime, murmura-t-elle. J'avais envie de te le dire.

Il prit dans ses mains ses seins si doux, si frais. Puis baissa la fermeture Eclair de son short. Fit glisser short et culotte le long des jambes parfaitement hâlées.

Elle détacha les bretelles rouges L. L Bean, tira sur le jean, aida Peter à se défaire de son caleçon et de sa casquette. Il l'embrassait partout, lui léchait le bout des seins en prenant tout son temps. Sur son ventre, il avait l'impression d'être devenu léger comme une plume, invisible. Un doux parfum de noix de coco lui caressait les narines.

Peter pénétra Jane tout doucement, puis donna de grands et longs coups de reins.

Par deux fois, ils s'arrêtèrent mutuellement. Pour aller moins vite, pour s'économiser. Puis ils jouirent ensemble, avec de petits spasmes qui les laissèrent étourdis. L'orgasme fut très long. Ils chuchotaient comme à l'église.

Lorsqu'ils se rassirent enfin, les Marines avaient disparu, et Turtle Bay semblait comme intacte. La plage avait été parfaitement ratissée.

Tchac, tchac, tchac faisaient les machettes qui taillaient les cannes à sucre.

Tchic, tchic, tchic entendait Peter.

Tchic, tchic, tchic.

Tchic, tchic, tchic.

Tchic, tchic, tchic. Gling.

Peter avait trouvé Max Westerhuis en train de taper ses belles notes d'hôtel, jaunes sur fond blanc, dans son petit bureau carré, avec ses petites lunettes à monture d'acier, tel un mathématicien en plein ouvrage. Un employé du Chiffre.

La machine noire dont l'Allemand se servait pour faire ses calculs semblait avoir survécu à la République de Weimar. Il y avait également des enveloppes aux bords bleu et rouge dispersées sur tout le bureau. Des nouvelles du Reich.

Une grosse chope de Würzburger brune bien moussue trônait sur une liasse de documents.

Peter, sur le seuil de la pièce, hésitait à s'annoncer auprès du jeune et si susceptible Allemand. Mais les doigts s'arrêtèrent de marteler les touches de la machine.

— Peter, que voulez-vous ? Vous ne voyez pas que je suis trop occupé, avec tous ces imbéciles qui ont décidé d'écourter leur séjour ?

L'air un peu déphasé, le directeur aux cheveux blond pâle le regardait par-dessus ses verres avec une moue dégoûtée.

— Macdonald, *que voulez-vous* ! réitéra la voix stridente.

Je voudrais qu'un rayon me téléporte loin de votre bureau, comme dans *Star Trek*, songeait Peter. Vous êtes tellement suffisant, tellement creux, tellement coincé que je pourrais en vomir.

— Je voudrais vous demander un service à titre personnel, répondit Peter d'une petite voix qui lui fit l'effet d'un douloureux croassement, comme s'il était Himmler et Max Hitler. Il faudrait que j'emprunte votre BMW.

Le directeur de l'hôtel évacua un petit rire nasal.

— Emprunter ma moto ? Vous êtes devenu fou ? Fichez-moi la paix. Sortez d'ici.

— J'en ai pour une minute… Vous voyez, il faut que je voie quelqu'un d'autre au sujet de l'homme que j'ai aperçu hier sur la route de côte. Ça me travaille. Il faut que je sache pourquoi ils…

— Vous m'avez déjà vu, moi, Macdonald, l'interrompit Westerhuis. Et moi, j'ai parlé à ces cons de journalistes. Vous, vous avez parlé au policier, hier soir, *nicht wahr* ? Maintenant, je vous dis de vous en aller. Et, au fait, ne vous avisez plus de m'appeler Max.

Peter renonça brusquement à tout semblant de diplomatie.

— Je veux parler à l'ambassadeur américain, à Coastown !… Il y a peut-être des vies en jeu, Westerhuis. J'ai besoin de votre BMW deux ou trois heures, c'est tout. Soyez humain, merde. Faites au moins semblant.

Le directeur frappa sur son bureau.

— Il n'en est pas question ! J'ai réfléchi cinq secondes, et la réponse est non ! Maintenant, sortez d'ici. Encore un mot, et je vous vire immédiatement comme j'ai viré votre collègue Johnny.

Peter fit demi-tour et s'éloigna du minuscule bureau.

— « Je vous vire », marmonna-t-il. Va te faire foutre, espèce de nazi.

— Qu'est-ce que j'entends ? lança Westerhuis.

Puis, *tchic, tchic, tchic*, il reprit ses comptes en se disant : Quelle pauvre cloche tu fais, Peter Macdonald. Pauvre barman à la noix. Tu aurais mieux fait de rester toute ta vie dans l'armée.

Dehors, sur une rutilante BMW noire, une belle clé de contact argentée fit un quart de tour – Peter Macdonald et Jane Cooke avaient pris une initiative majeure, insensée et dangereuse. Et ils allaient tous deux, très bientôt, être largement dépassés par les événements.

— Pas de problème, fit Peter. Max est d'accord. Accroche-toi, ça va secouer.

C'était peut-être l'euphémisme de la décennie.

9

J'avais le sentiment qu'en Europe Damian aurait pu se contenter d'un budget de 10 $ par jour. Moi, je crois que les 10 000 $ par semaine de Jacqueline Onassis me conviendraient. Parfois, je me prends à lire *Cosmopolitan* et à m'imaginer à la place de Jackie. Quelle vie incroyable ! Je suis allée jusqu'à imaginer comment m'y prendre pour épouser l'un – ou plusieurs – des hommes les plus riches de la planète... Damian pourrait être riche, lui aussi ; encore faudrait-il que l'argent l'intéresse. Damian pourrait devenir une star de cinéma mondialement connue, comme Charles Bronson ou Clint Eastwood. Ou le P.-D.G. de General Motors. Damian pourrait être, pourrait être... assis sur un rocher, en Crète. Je vais avoir trente ans, et je commence déjà à me répéter. La petite provinciale du Nebraska a du souci à se faire...

Carrie Rose, *Journal*

Coastown, San Dominica

Au milieu de cet univers de gagne-misère – tous ces vendeurs de fruits et d'articles en paille tressée, ces tantouzes, ces touristes bas de gamme, ces hordes de chauffeurs de taxi, ces bus à impériale qui jouaient du klaxon pour traverser Politician Square –, Carrie Rose s'efforça d'isoler un pauvre bougre, celui qu'il allait falloir sacrifier ce matin-là.

Elle concentra son attention sur les dix et quelques toxicos aux cheveux longs qui traînaient près de l'entrée de la plage publique de Wahoo.

Des Américains, des zonards blancs qui échouaient ici... des apprentis clodos avec des T-shirts REGGAE, des T-shirts LOVE RASTAFARI. Avec leurs cannettes de mauvaise bière, leurs chewing-gums, leurs morceaux de noix de coco.

Outre le choix de ce groupe de morts-vivants, c'était le côté arbitraire de la sélection qui perturbait Carrie. Les petits jeux de Damian finissaient par la déprimer.

Elle finit par opter pour un jeune hippie maigre et pas très grand. Un freak, un vrai, qui émergeait de cette bande d'oisifs. Carrie le baptisa le Solitaire.

Le Solitaire devait avoir dix-neuf, vingt ans. Un jean sale, un gilet en peau, un torse nu et creusé. De longs cheveux blond filasse. Des yeux écarquillés, un regard lunaire.

Le Solitaire fumait également de la marijuana locale comme si c'était sa première tasse de café du matin.

Carrie Rose arrêta un écolier qui passait près d'elle. Un beau petit gamin créole de huit ou neuf ans, avec un bel élastique rouge autour de ses livres et ses cahiers. Elle lui demanda s'il avait le temps de gagner cinquante *cents* avant d'aller en classe.

Quand l'enfant lui répondit oui, Carrie pointa le doigt vers la foule et dirigea son regard jusqu'à ce qu'il distingue le jeune Blanc aux cheveux longs et au gilet clair.

Le Solitaire s'était légèrement déplacé pour s'adosser à un hangar à bateaux dont la peinture s'écaillait. « Il tenait le mur », comme on disait chez elle, à Lincoln, dans le Nebraska.

— Tout ce que tu as à faire, expliqua Carrie, c'est apporter cette lettre à ce jeune homme. Tu lui donnes ce billet de cinq dollars. Tu lui dis qu'il doit déposer ma lettre au 50 Bath Street. *50 Bath Street*... Et maintenant, dis-moi ce que tu dois faire pour gagner tes cinquante *cents*.

Le petit garçon, très sérieux et très éveillé, répéta mot pour mot ses instructions. Puis son visage s'illumina.

— Hé, m'dame, votre lettre, je peux aller la porter moi-même.

La main de Carrie s'enfonça dans le portefeuille pour en extraire le billet.

— Non, non. C'est ce jeune homme, là-bas, qui va le faire. Et il faut que tu lui dises qu'un grand Noir très costaud le surveille. Dis-lui que la lettre est destinée à la petite amie du grand Noir.

— D'accord, d'accord. Donnez-moi tout ça, et je le lui donne.

Le gamin traversa la place et disparut, happé par le tourbillon coloré de la foule. Carrie prit peur et se lança à son tour sur la chaussée.

Et soudain l'écolier réémergea près des hippies avachis. Il s'approcha du Solitaire en souriant jusqu'aux oreilles et en agitant la longue enveloppe jaune.

Le jeune homme aux cheveux longs et le gamin négocièrent devant le hangar à bateaux.

Un soleil laiteux était en train de se lever juste au-dessus des tôles gondolées de la toiture. Quelqu'un avait barbouillé sur la masure, en grosses lettres rouges, SAN DOMINICA – LE PLUS BEL ENDROIT DU MONDE.

Finalement, le Solitaire accepta la lettre.

Carrie s'assit sur un banc et sortit de son sac la dernière édition du *Gleaner*. UN COUPLE ASSASSINÉ SUR UNE PLAGE. Jambes croisées, lunettes à grosse monture de corne, elle avait l'air d'une touriste comme les autres. Et ils étaient vingt ou trente à s'être approprié les bancs blancs, ou ce qu'il en restait, pour lire livres ou journaux.

Apparemment très paranoïaque, le Solitaire scruta la rue à droite et à gauche pour tenter d'apercevoir son bienfaiteur parmi la foule, puis exécuta à son intention un curieux pas de be-bop. Mortel, le plan, devait-il se dire. Il n'imaginait pas à quel point...

Et il partit dans la direction du quartier de Trenchtown.

Pour déposer au 50 Bath Street une lettre qui allait bientôt devenir célèbre.

Macdonald trouva l'ambassade des Etats-Unis, à Coastown, merveilleusement calme.

Un peu comme le Thaver Hall, à West Point, en plein mois d'août. Comme l'Université du Michigan, à Ann Arbor, où il avait passé tout un été à paresser, tout seul, après l'armée.

Des gardes en uniforme vert arpentaient les couloirs sur la pointe de leurs souliers en cuir souple. Des réceptionnistes échangeaient avec les coursiers des chuchotements où il était question du dernier meurtre à la machette. Et derrière les grandes baies vitrées de la bibliothèque, de sympathiques filaos ployaient dans la brise comme pour saluer tout ce petit monde.

Dans toutes les salles, tous les couloirs, ce n'étaient que boiseries, meubles en cuir sombre, lourds cendriers et crachoirs de bronze rescapés de l'ère Roosevelt. A la bonne odeur de cire qui flottait dans l'air se mêlaient des senteurs d'hibiscus fraîchement coupés et de lauriers-roses.

Peter estima que tout cela était très officiel, très impressionnant – très américain, par certains côtés – mais néanmoins très froid, quasiment funéraire.

Et angoissant.

Dans sa belle chemisette à la Harry Truman – palmiers ondoyants et voiliers sur fond bleu pastel, les joues définitivement empourprées, Peter emboîta le pas à l'espèce de majordome guindé chargé de le conduire à son rendez-vous. Un Noir arrogant en costume de communiant bleu pétrole.

Ils empruntèrent un grand escalier couvert d'une épaisse moquette, suivirent un long corridor désert aux murs jalonnés de portraits à l'huile des derniers Présidents américains, gravirent les marches grinçantes d'un petit escalier en colimaçon.

Et se retrouvèrent enfin, au deuxième étage, devant un confortable bureau. Une agréable pièce, sous les toits, où un adolescent aurait pu installer la chambre de ses rêves.

Le jeune conseiller en sécurité publique était assis derrière un bureau très design. Excessivement bronzé et plutôt bel homme, il représentait, aux yeux de Peter, une publicité vivante pour la pseudo-science de la réincarnation : ce sous-consul était le parfait sosie du regretté Montgomery Clift.

— Monsieur Campbell, fit le Noir en claquant littéralement les talons, un certain monsieur Peter Macdonald souhaiterait vous voir.

— Bonjour, fit Peter. Excusez-moi de vous déranger comme ça.

— Pas de problème. Asseyez-vous, je vous en prie.

Peter prit place sur le canapé bordeaux et, avec un petit accent du Midwest – *Helter-Skelter* et d'autres horreurs à l'esprit, il avait vaguement conscience des dangers auxquels il était officiellement en train de se frotter –, il entreprit de raconter à Brooks Campbell ce qu'il avait vu…

Les deux Noirs qui revenaient de la plage de Turtle Bay en courant dans les hautes herbes.

Le sang d'un rouge si vif qu'on aurait dit de la peinture.

L'homme aux cheveux blonds inscrit à jamais dans sa mémoire, sur fond de palmiers royaux et de bougainvillées.

Le fusil à lunette de fabrication allemande. La berline verte. La veste de chez Harrods… tout cela à deux pas de l'endroit où les deux gosses de dix-neuf ans avaient été tués et mutilés, où leurs corps avaient été ignoblement profanés.

Vers la fin de cet étrange et terrifiant récit, Peter éprouva une sensation nouvelle et délicieuse : il avait l'impression d'avoir réellement été écouté.

Campbell, bien calé dans son fauteuil à roulettes, fumait une cigarette True Blue jusqu'au filtre, l'air très sérieux, captivé. Avec sa chemise bleue amidonnée aux manches retroussées, il avait des allures de jeune sénateur préoccupé.

— Vous dites avoir roulé jusqu'au virage suivant, fit Campbell d'une voix grave, avec une petite raideur de la mâchoire suggérant qu'il venait d'une famille aisée. Avez-vous réellement vu ces deux Noirs rejoindre l'autre personne ? Le grand blond ?

Bien raisonné, songea Peter. C'était plutôt encourageant. Effectivement, il n'avait pas vu les trois hommes se rejoindre.

— Non, j'allais assez vite. Il faut dire que c'est pas le genre de situation où on a envie de s'arrêter et… enfin, vous savez, quoi… ça a peut-être pris trente secondes en tout.

Peter se mit à sourire. Un sourire involontaire, purement nerveux. Il commençait à douter sérieusement, il n'en menait pas large. Il se surprit à tripoter sa chemise.

Campbell se redressa sur son fauteuil et éteignit son mégot d'un coup sec.

— Il faut que je vous dise quelque chose, Peter, et je vais vous demander de me croire sur parole.

Il fixa Peter des yeux.

— Je vais essayer. Allez-y.

— Turtle Bay était bien un incident isolé. La réponse à un verdict sévère de la Cour suprême de Coastown… Des Américains ont certes été tués, mais il s'agit d'un fait divers purement local. Je ne sais pas si vous avez lu, dans la presse, ce qui s'est passé sur le parcours de golf de Fountain Valley, à Sainte-Croix. Les meurtres…

— D'accord, coupa Peter, c'est bien joli, cette hypothèse, mais que faites-vous du type blond ? Sans blague, pouvez-vous me dire ce qu'un Blanc fabriquait là-bas avec un fusil à lunette ? Le genre de flingue qu'on prendrait pour descendre Kennedy ? Dites-moi quelque chose de rassurant au sujet de ce mec et je rentre chez moi satisfait. Je ne reviendrai jamais vous embêter.

Brooks Campbell se leva, écarta légèrement les rideaux pour laisser entrer un filet de soleil et, avec un petit sourire de politicien roué, répondit :

— Vous savez quoi, Peter ? J'ignore totalement ce qu'un Blanc pouvait foutre là-bas, mais je vais vous confier un petit secret d'Etat. J'ai entendu, quoi, plus de cinquante personnes qui pensent avoir une idée de ce qui s'est passé à Turtle Bay. J'ai écouté les policiers, les militaires… et tout ce que j'ai entendu jusqu'à présent désigne le colonel Dassie Dred. Je ne sais que vous dire d'autre, Peter.

Campbell cessa d'arpenter la pièce. Il venait de songer à cette fameuse réunion, un an plus tôt, dans le désert du Nevada. Au plan savamment échafaudé, aux garanties que présentaient Damian et Carrie Rose…

Dire qu'ils s'étaient déjà plantés ! Rose venait de se griller. Le grand et mystérieux Damian Rose, qu'eux-mêmes n'avaient jamais réussi à voir.

Campbell releva la tête ; son regard tomba sur la chemise hawaïenne de Macdonald.

— Faites-moi confiance, Peter. (Il se força à sourire, il pensait toujours aux Rose.) Laissez à mon secrétaire un numéro où je puisse vous joindre.

Peter ne répondit pas immédiatement. Son esprit était en ébullition. On fait confiance en Dieu. Les autres paient cash, Brooks… Il eut soudain l'écœurant sentiment d'être à nouveau seul, totalement seul.

— Putain…

L'imbuvable secrétaire noir revint. L'entretien était terminé.

Peter quitta la grande maison blanche en transpirant à grosses gouttes. Il ne se souvenait pas s'être senti aussi seul, aussi démoralisé, depuis longtemps. Depuis sa longue marche à l'intérieur du Cambodge.

En traversant le joli parc de l'ambassade, il salua d'un signe de tête les impeccables Marines en faction, sourit aux touristes qui se croyaient encore à Disneyland, mais n'avait en tête que ce Brooks Campbell, acteur du gouvernement.

Qui, lui, derrière une grande lucarne, fumait une cigarette en regardant Macdonald franchir le portail.

Le témoin.

Juste avant midi, le Solitaire s'engagea dans Bath Street.

Le jeune homme aux cheveux longs tenait la lettre de Carrie Rose comme s'il s'agissait d'un carton d'invitation à un anniversaire, dont sa mère lui aurait demandé de prendre le plus grand soin.

Des chachalacas et un cacatoès jacassaient dans la petite rue paisible. Quelques chiens errants aboyèrent au passage du Solitaire, qui les imita. Ici et là, des chèvres broutaient des détritus dans les jardins envahis de mauvaise herbe – et le Solitaire se souvint qu'il avait faim, lui aussi.

Et qu'il était complètement pété. *Stoned.* Raide défoncé. Il faisait doux, et il se sentait plutôt bien.

Le 50 Bath Street s'avérait être l'adresse du quotidien *Evening Star.*

Le Solitaire pressa le bouton de sonnette qui pendait au bout de ses deux fils électriques. Et il attendit.

Quelques minutes plus tard, une jeune fille noire avec un hibiscus dans les cheveux fit son apparition. Elle riait comme si on venait de lui raconter une blague. Elle accepta l'enveloppe. Et soudain, plusieurs décharges de fusil de chasse ébranlèrent l'atmosphère paisible de la petite rue.

Projeté contre le chambranle de la porte, le Solitaire leva malgré lui ses bras décharnés, grêlés de trous d'aiguille, paumes tendues. Sa tignasse vola comme une serpillière sale qu'on secouait violemment. Littéralement plaqué contre le mur, le visage et le thorax criblés de chevrotine, il rendit l'âme avant de toucher le sol.

Peu après, encore sous le choc, le rédacteur en chef de l'*Evening Star*, un Noir, s'efforça de lire la lettre qu'avait apportée le jeune homme. Elle semblait émaner du colonel Dassie Dred, plus connu sous le nom de Monkey Dred.

Il promettait les châtiments les plus sévères et les plus inattendus si les étrangers blancs ne quittaient pas San Dominica.

Il exigeait que sa lettre soit intégralement publiée dans la prochaine édition du journal, sans quoi la rédaction recevrait le lendemain matin un autre courrier, de la même manière.

A midi et demi, le Dr Meral Johnson fit son arrivée à la rédaction de l'*Evening Star*. Le chef de la police examina le trou béant dans la porte, puis regarda la victime. S'entretint avec la jeune femme qui avait accepté la lettre. Envoya ses hommes ratisser le quartier. Quelqu'un avait peut-être assisté à la fusillade.

Et ce fut Meral Johnson lui-même qui trouva l'expression « lettre morte » pour décrire le courrier fatal. En se disant, avec une pointe d'amertume, que c'était quasiment là, pour l'instant, sa seule et unique contribution à une enquête hors du commun.

10

L'élite des services de renseignements est constituée de bureaucrates dont la vivacité n'est pas la première qualité. Les pires d'entre eux sortent des grandes écoles. Ceux auxquels nous avions affaire n'étaient certainement pas à la hauteur.

Carrie Rose, *Journal*

Fairfax Station, Virginie

Cet après-midi-là et durant toute la soirée, à Washington, les commentaires ironiques allèrent bon train : les négociateurs vietnamiens et chinois ne parvenaient toujours pas à s'entendre sur les termes d'un accord de paix. Les conseillers de Jimmy Carter étaient déjà en train de rédiger le discours du Président. L'Amérique tiendrait la promesse qu'elle avait faite au monde, l'Amérique n'écouterait pas les sirènes de l'isolationnisme.

La propriété de Harold Hill, Old Virginny Home, se trouvait à Fairfax Station, à une vingtaine de kilomètres de la capitale, au sud-ouest. Un beau domaine de près de trois hectares, encaissé et verdoyant, ceint d'une barrière blanche. Riche en chèvrefeuille, buis et cornouillers, et où s'ébattaient d'innombrables animaux domestiques de race. Le nom de la propriété figurait en grandes lettres peintes à la main sur l'un des portails.

Sans doute, mais lorsqu'il était en déplacement, Harold Hill surnommait son petit paradis « la gaufrette à la vanille ».

Le domaine des Hill respirait l'innocence et la douceur de vivre. Tout y était apparemment normal, pour ne pas dire banal, et seule la présence d'un des fameux téléviseurs d'A.C. Nielsen, permettant à l'institut de sondage de savoir qui regardait quoi présentait un caractère vaguement confidentiel.

Mais il n'y avait rien, ici, qui pût évoquer un quelconque rapport avec des meurtres, des situations anarchiques, des services secrets.

Ce qui était un peu voulu.

Au printemps et au début de l'été, en semaine, presque chaque soir, Harry le Dégommeur jouait au base-ball avec son fils Mark. C'était devenu une habitude. Mark avait quatorze ans et il marchait sur les traces de Babe Ruth. De la graine de champion. Chaque soir, s'il n'y avait pas de match, Mark devait lancer à son père une centaine de balles, sous peine d'encourir ses foudres.

Ce soir-là, chaussé de ses Top-Sides trop grandes, le buste en avant, Hill était en train de se prendre une bonne petite suée. Il commençait à trouver son rythme, sentait les picotements brûlants de sa paume sous son gant de receveur.

Soudain, sa femme, Carole, lui demanda de rentrer.

— Un appel longue distance, lui cria-t-elle depuis la terrasse de la grande demeure de style colonial, avec son accent de l'Alabama qui avait survécu aux séjours dans huit pays différents. C'est Brooksie Campbell.

Hill s'excusa auprès de son fils et rentra au trot. Sitôt à l'intérieur, il éprouva comme une sensation de malaise.

Brooks Campbell ne l'appelait jamais chez lui. Pas pour bavarder, en tout cas. Il y avait quelque chose, dans ces conneries de terrorisme – la soi-disant spécialité de Campbell –, qui ne plaisait pas à Harold Hill.

Le terrorisme, c'était pour les Arabes et les Israéliens. Les Irlandais. L'Armée de Libération Symbionese. Pour les petits qui en étaient réduits aux coups bas. Les Etats-Unis, eux, n'avaient pas à recourir à de telles méthodes.

Une fois dans son bureau, Hill sortit un téléphone d'un tiroir fermé à clé et composa un numéro vert.

Que se passerait-il – il poursuivit sa réflexion – si une grande puissance se mettait à pratiquer le hors-jeu de manière régulière ? A utiliser tous les moyens pour arriver à ses fins, sans respecter la moindre règle ? Que se passerait-il si les Etats-Unis menaient une véritable guerre de guérilla ? On courrait au désastre. Ce serait le retour à l'âge de pierre.

Hill enfonça une touche de poste, et l'appel en provenance des Caraïbes passa sur une ligne sécurisée, protégée par brouillage.

Il voyait toujours Mark, dehors, en train de lancer ses balles hautes au-dessus d'un vieux sapin pour les rattraper façon basket, comme Willie Mays. Ce gosse avait une force extraordinaire dans le bras. Quel lanceur !

Au moment où il commençait à se dire que l'appel mettait trop de temps à basculer, il entendit Brooks Campbell :

— Bonsoir, Harry. (Un Campbell un peu éteint, dont la voix de stentor semblait s'être empâtée.) La raison pour laquelle je vous appelle, Harry…

Harold Hill émit un petit rire étouffé destiné à ralentir son interlocuteur.

— Je crois que je vais m'asseoir pour entendre ça. La raison pour laquelle vous m'appelez.

— Ouais, asseyez-vous. Ce ne sont pas de bonnes nouvelles… Il se trouve que… euh… ce Rose a été aperçu par quelqu'un hier, à Turtle Bay. Que dites-vous de ça ? On paye quelqu'un *qu'on n'a jamais vu*, un vrai génie, à ce qu'il paraît, et voilà qu'il se fait tout de suite griller par quelqu'un d'autre. Si j'étais parano, Harry, je vous dirais que quelqu'un est en train de nous manipuler, mais je sais que ce n'est pas le cas. Enfin, quoi qu'il en soit, je ne veux pas prendre de risques sur ce coup-là.

— Rose sait-il qu'on l'a vu ? Racontez-moi tout, Brooks.

— En gros, il connaît sa situation, répondit Campbell. Il nous a appelés aujourd'hui. Enfin, sa femme nous a appelés pour nous dire qu'ils voulaient s'en occuper eux-mêmes. Sympa, non ?

— Génial.

— Le type qui l'a vu est insignifiant, heureusement. Cela dit, c'est un Américain… Au fait, ce matin, Rose a descendu et coupé en morceaux le président de l'ASTA. Harry, ils sont vraiment en train de faire du zèle. Je ne me souviens même plus du projet initial qu'ils nous ont soumis. J'avais rendez-vous avec le type hier soir, il n'est même pas venu. Ils ont vraiment pété les plombs.

Harold Hill ferma les yeux et se représenta Campbell. Brooks Corbett Campbell. Sorti de Princeton. Fils d'une bonne famille de New London, Connecticut. Promis à une belle carrière à la CIA.

Néo-nazi, selon l'humble opinion de Hill. Le genre de type à toujours savoir ce qui était le mieux pour les autres.

— Eh bien... je pense qu'on va devoir les supporter encore un moment. Pas vous ? Mais il serait peut-être préférable que ce soit *vous* qui mettiez la main sur ce fameux témoin. J'ai l'impression que nous pourrions avoir besoin de lui pour identifier Rose. Enfin, tôt ou tard... Je n'ai aucune intention de les laisser quitter l'île une fois que ce sera terminé. Question de bon sens.

— Pas mal. (Brooks Campbell haussa le ton pour couvrir les grésillements transatlantiques.) C'est un peu comme ça que je vois les choses aujourd'hui.

Hill marqua un temps d'arrêt. Se dit qu'il devait essayer de remonter le moral au pauvre Campbell.

— Bon, on a fait le tour de la question, fit Harry le Dégommeur. Maintenant, annoncez-moi la mauvaise nouvelle.

Le jeune Brooks Campbell se força à rire. Ah, la bonne vieille camaraderie des combattants...

— J'attendais que vous me le demandiez.

Coastown, San Dominica

— Essayons d'analyser ce bordel, suggéra Jane.

Peter ne répondit pas. Il était ailleurs. Sur le champ de tir d'artillerie de Camp Grayling, dans le centre du Michigan. En train de viser des boîtes de conserve posées sur la tête de Brooks Campbell. Au bazooka.

Il était dix heures du soir, et dans la pénombre du patio du restaurant Le Hut, ils s'efforçaient de trouver un sens à la vague de meurtres qui s'était abattue sur la région. En piochant de temps à autre dans leur casserole de bouillabaisse huileuse. Ils avaient à peu près aussi faim que la crevette qui nageait dans le bouillon.

Peter finit par relever la tête. Il fixa Jane de ses yeux de chiot marron et haussa les épaules.

— Qui peut bien avoir une idée pareille ? Charcuter deux gosses de dix-neuf ans, comme Jack l'Eventreur ?

Le menton entre les paumes de ses fines mains, l'air grave, Jane faisait penser à Caroline Kennedy jeune. Elle attirait le regard de tous les serveurs noirs.

— C'est probablement le même type qui a forcé deux enfants à regarder mourir leur père, répondit-elle. Un taré. J'en suis malade. Non seulement ça me fiche les jetons, mais j'ai envie de gerber.

Peter repensait à son entretien à l'ambassade américaine, et il commençait à se sentir un peu impuissant, insignifiant. Little Mac s'était encore une fois planté… Peut-être ne s'était-il pas suffisamment expliqué ? En tout cas, ce qui était sûr, c'était qu'il y avait eu un problème, à l'ambassade. Parce que le grand blond était un type important. Forcément.

Jane pointa l'index vers la rue avec un sourire espiègle, un sourire d'avant les meurtres.

— Je ne savais pas que l'un de tes frères était sur l'île, s'esclaffa-t-elle.

Juste devant le restaurant, un clown amusait les passants. Un Blanc, avec autour du cou une pancarte. BASIL, LE MÉNESTREL DES ENFANTS.

Basil était un jeune homme, derrière ses peintures d'Indien et de clown. Autour des yeux, il avait l'air de prendre son spectacle très au sérieux, et paraissait même un peu triste, mais avec sa tenue – pantalon bouffant jaune canari et bonnet de nuit pastel – on avait l'impression qu'il avait été dessiné sur ordinateur, en basse définition.

— La solution, c'est l'amour, disait-il aux habitants et aux quelques touristes qui passaient par là. La solution, c'est l'amour, chuchotait-il aux clients attablés au restaurant.

— Ah, fit Jane en imitant l'accent de Jackie Chan et en clignant de l'œil. Mais quel est le problème ?

Elle vit que Peter était encore perdu dans ses pensées. Turtle Bay. Qu'est-ce qui avait pu le contrarier à ce point, à l'ambassade américaine ?

— Tu connais des tours pour enfants ? lui demanda-t-elle à mi-voix. Macduff ? Tu es là ? Tu m'écoutes ? Ou tu te prends encore pour Sherlock Holmes sur la piste d'un mystérieux criminel ?

Peter sourit, rougit.

— Pardon. Je suis là. Bonsoir !

Il revenait de très loin. Du Vietnam. De la maison de ses parents sur le lac Michigan, où six étés de suite, Betsy Macdonald était venue pondre un bébé châtain aux yeux bruns. Les Super Six.

— Des tours pour enfants ?

Peter sourit. Eprouva une bouffée d'affection pour cette fille excentrique venue des plaines du Dakota.

Réfléchit une seconde. Se souvint d'un petit numéro que son frère Tommy faisait pour ses enfants.

Prit sa serviette en papier, la tordit et se la colla sous le nez. Comme une moustache tombante. Couverte de taches de graisse et de particules de poisson.

Voix de méchant : « Vous devez payer le loyer. »

Il mit la serviette dans ses cheveux, sur le côté, façon ruban de fille.

Voix aiguë de l'héroïne en détresse : « Je ne peux pas payer le loyer. »

Voix de la moustache : « Vous devez payer le loyer ! »

Voix du ruban : « Je ne peux pas payer le loyer ! »

Il plaça la serviette sous son menton, où elle se transforma en gros nœud papillon. Prit une voix à la Dudley Do-Right, le bon Samaritain de la police montée canadienne – un personnage de BD.

— Moi, je paierai le loyer !

Voix du ruban : « Mon héros. »

Voix de la moustache : « Sapristi, mes plans sont encore déjoués. »

— J'aimerais que ce soit aussi facile, soupira Jane.

Elle embrassa sa moustache en papier. Laurel et Hardy. Ils n'étaient décidément pas encore tout à fait adultes, mais les bonnes intentions ne manquaient pas.

Cette nuit-là, ils dormirent ensemble pour la dernière fois. La dernière fois de leur vie.

Etang de Crafton, San Dominica

Pendant ce temps, la première rencontre entre les Rose et le colonel Monkey Dred allait débuter dans une certaine confusion.

Moteurs coupés, quatre voitures se faisaient face de part et d'autre d'une bande de terrain, près de l'étang infesté de rats de Nate Crafton, dans les West Hills. Le terrain servait d'ordinaire aux avions à hélice qui faisaient la navette avec La Nouvelle-Orléans, chargés de ganja et de cocaïne.

Ce soir-là, une épaisse brume flottait autour de l'étang, et l'herbe humide grouillait de gros ragondins.

Les deux côtés s'étaient mis d'accord pour n'amener que deux voitures. Pas plus de deux passagers par véhicule. Faute d'alternative, les armes avaient été autorisées.

Peu avant l'heure prévue, un *troisième* véhicule apparut à l'horizon, du côté de Dred. Il était 1 heure du matin.

La première violation du traité de la soirée.

Tandis qu'on le conduisait sur place à bord d'un bruyant fourgon anglais, le révolutionnaire de vingt-sept ans, formé à la Jamaïque et à Cuba, constata que le terrain d'atterrissage clandestin était plongé dans l'obscurité et que rien ne bougeait. Il était assez joli, avec ce quartier de lune jetant une pâle lumière sur la jungle environnante.

Le fourgon s'arrêta sèchement au bord du terrain. Le chauffeur de Dred alluma ses phares. Les éteignit. Recommença.

En face, dans les ténèbres, d'autres appels de phare. Rose.

En observant la scène à travers le pare-brise embué et couvert d'insectes écrasés, Dred hocha la tête, sourire aux lèvres. Rose était déjà en train d'accepter les compromis : la *troisième* voiture.

— Ça va être facile, *man*, dit-il à son chauffeur.

Deux des cinq véhicules se mirent en route. Ils parcoururent chacun la moitié du terrain. C'était la procédure convenue. Dred se fit la réflexion que les Rose étaient apparemment très attachés au respect des procédures, comme les Anglais au moment de la guerre de l'Indépendance américaine.

Sans attendre l'arrêt complet de son van, le colonel sauta à terre et se planta dans l'herbe, comme au garde-à-vous. Il vit Rose descendre d'une sorte de véhicule de loisir américain, à moins de quarante mètres.

Le Blanc n'était pas aussi fort que Dred l'aurait imaginé. En tout cas, il ne paraissait pas particulièrement imposant... Il portait un complet de couleur claire et un grand chapeau style Panama. Extrêmement voyant. C'était ridicule.

Au signal, les phares des deux véhicules s'éteignirent, et les deux personnes marchèrent l'une vers l'autre dans le noir. Trente secondes plus tard, elles n'étaient plus séparées que d'un mètre. Une odeur de fertilisant se mêla aux effluves d'une eau de toilette française.

— Vous les avez, ces armes ? demanda le révolutionnaire avec un lourd accent local.

Carrie Rose enleva son chapeau mou couleur paille et dévisagea le colonel Dred avec un grand sourire.

— Vous êtes un homme mort. Mon mari vous tient en joue avec un M-21, un fusil de tireur d'élite équipé d'une lunette de visée nocturne. Il nous regarde dans un joli petit rond vert. Vous voulez lui faire signe ?

— Je ne crois pas, répondit très calmement le Noir.

Carrie remit son chapeau, et une balle de forte puissance arracha une touffe d'herbe à moins d'un mètre du guérillero.

Les phares de tous les véhicules se rallumèrent. Le Noir se figea. Leva la main pour intimer à ses hommes de ne pas bouger.

— Nos intentions sont bonnes, reprit Carrie comme s'il ne s'était rien passé, mais nous voulions que vous sachiez que vous ne devez pas essayer de faire autre chose que ce dont nous sommes convenus. Nous nous étions mis d'accord. *Deux* voitures, pas trois. *Deux*.

« Si les armes vous intéressent toujours, vous vous rendrez chez Charles Codd. Rendez-vous à la propriété demain soir à dix heures. Mêmes dispositions. *Deux* voitures. »

— Pourquoi vous faites ça ? demanda finalement le Noir, bien campé sur ses jambes, bras croisés.

— Nous voulons vous aider à vous emparer de l'île, lui expliqua Carrie en ajoutant, avec un haussement d'épaules : Nous sommes payés pour le faire. Venez chez Codd demain soir. Vous saurez tout ce que vous voulez savoir. Vous rencontrerez même Damian.

Et Carrie Rose rebroussa chemin. Déconcerté, le leader révolutionnaire commença à se demander comment cela s'était passé avec Castro, dans les monts de la Sierra Maestra. Qui était monté jusque-là-bas lui fournir armes et bombes ?

— On dirait un gosse, dit Carrie au Cubain en reprenant place dans la pénombre de la voiture américaine. C'est drôle qu'ils s'intéressent à lui, non ?

— *Solamente tres dias mas*, murmura laconiquement le Cubain.

Plus que trois jours.

Vendredi 4 mai 1979

Arrivée de 45 U.S. Marshals

11

Nous avions conçu un véritable labyrinthe de foire, destiné à semer le trouble. La confusion était sur tous les fronts. Tel un blizzard en plein été, à un endroit où on n'a jamais vu de neige…

Le 4 mai, la vue d'un simple paysan, coupe-coupe à la main, suffisait parfois à déclencher une crise cardiaque. Qu'un Noir marche en bordure de plage – même si c'était un sauveteur, mais qu'il était nouveau – et tous les petits Blancs s'égaillaient comme des cochons pour aller se réfugier dans leurs luxueuses cases à toits de paille. Quand les pêcheurs laissaient leurs barques dériver trop près de la côte, des vigiles armés de fusils leur faisaient signe de s'éloigner. Personne ne se hasardait à bronzer sur la plage, les yeux fermés… Et d'innombrables touristes passèrent le plus clair de leur temps dans les locaux des compagnies aériennes locales et des bâtiments officiels. La PanAm, Eastern, Prin-Air et la BOAC avaient mis en place des vols supplémentaires, mais pas assez pour faire face à l'exode… Pour l'instant, le calendrier était respecté.

Carrie Rose, *Journal*

Le quatrième jour fut beaucoup plus calme – on ne déplora sur l'île que quatre morts. Mais les victimes avaient toutes été massacrées à la machette.

En début de matinée, quarante-cinq marshals fédéraux arrivèrent des Etats-Unis. Ils avaient pour mission d'aider au maintien de l'ordre dans les principales villes de San Dominica. Certains de ces mêmes marshals dépendant du Département d'Etat avaient participé à la répression du soulèvement indien de Wounded Knee, en 1973.

Huit hélicoptères HSL-A, du même type que ceux utilisés au Vietnam, furent dépêchés de Pensacola, Floride, pour renforcer les opérations de surveillance et de recherche.

*Les hélicoptères couleur camouflage, vert et brun, eurent un effet désastreux sur le moral des derniers touristes, qui eurent soudain l'impression de se trouver au milieu d'une zone de guerre non déclarée. Le ballet incessant des appareils militaires au-dessus des collines tropicales verdoyantes rappelait les premiers plans du film M*A*S*H.*

De nouveaux témoins des meurtres à la machette faisaient leur apparition : « Une véritable anthologie de récits passionnants et discordants », comme l'écrirait plus tard un journal français. Cinq cent onze personnes avaient été interrogées, mais Peter Macdonald était le seul à avoir vu un homme blanc avec les agresseurs noirs.

Il était peu probable, désormais, que les déclarations de Macdonald aient le moindre effet sur le déroulement de l'enquête.

Pour la simple raison qu'il y avait trop de chefs sur les lieux, trop de chefs qui rôdaient autour des morgues lugubres, trop de brillants experts qui croyaient comprendre ce qui se passait.

12

Ce que nous avons fait à San Dominica revenait à libérer Charles Starkweather, Caril Fugate, Speck, Bremer, Manson et Squeaky Fromme. Tous les grands tueurs psychopathes au même endroit et en même temps.

Carrie Rose, *Journal*

4 mai 1979, Coconut Bay, San Dominica

Vendredi matin. Le quatrième jour de la saison.

Le lieutenant B.J. Singer, sorti de l'école navale d'Anapolis, promotion 1966, s'était installé sur une minichaise de plage en aluminium pour lire un livre intitulé *Supership*. Sa femme Ronnie, allongée à côté de lui, les coudes plantés dans le sable, venait d'attaquer *L'autre côté de minuit*.

Les Singer n'étaient pas de grands lecteurs.

Soudain, *Supership* glissa des doigts de B.J.

Le livre relié, sous une jaquette brillante, heurta l'accoudoir métallique de la chaise et tomba dans le sable, dos cassé. La tête de B.J. retomba en arrière.

— Quoi ? fit Ronnie.

— Je n'en peux plus, répondit son mari, les yeux clos, le corps luisant de beurre de coco. J'ai horreur de rester assis, comme ça. J'ai l'impression d'être un môme qui ne peut pas aller se baigner, faire un tour ni quoi que ce soit sans que sa mère soit à côté de lui !

Ronnie Singer leva la tête, ferma un œil. Il n'était que dix heures du matin, mais le soleil frappait déjà fort.

— Oh, bon, vas-y, lui répondit-elle en imitant l'accent texan. Va te noyer, mon chéri. Va te faire couper la tête par les Zoulous... Tu vas voir si maman s'inquiète. Maman ne s'inquiète pas du tout.

B.J. croisa les jambes. Il n'y avait pas un poil sur son grand et large corps de roux. Il regarda sa femme et poussa un énorme grognement.

— Ohhh... Maman se fait du souci pour toi, miaula Ronnie sur sa serviette de plage.

— Ce que j'aimerais, maintenant... c'est enlever ce maillot qui me gratte. Sur *notre* petite plage privée. Et offrir aux doux rayons de *notre* soleil privé ce que j'ai de plus privé et de plus précieux. Puis tremper mes pauvres bijoux délaissés dans les flots miroitants de *notre* mer si bleue... Comme dans la pub télé pour l'île. Tu te souviens de la pub qui passait à la télé ?

Ronnie Singer referma bruyamment son livre. La petite blonde poussa un immense soupir. Son énorme poitrine distendait son maillot de bain à pois minimaliste. C'était elle qui avait décidé de prendre le surnom de Maman.

— C'est d'accord, allons nous balader, matelot.

— Je vais le faire, fit B.J. avec un grand sourire.

— Je ne sais pas si j'aurai le courage de me déshabiller.

— Allez, à poil ! l'encouragea B.J.

— Très drôle, B.J. Calme-toi.

Ils marchèrent vers le nord, franchirent deux jolies criques. Parvinrent à une plage plus petite, plus intime. L'épave d'un schooner ensablé émergeait à quelques centaines de mètres du rivage.

Arrivé à la hauteur du vaisseau fantôme aux mâts brisés, B.J. entra dans l'eau turquoise, parfaitement transparente, où jouaient des milliers de minuscules scalaires. Ronnie le suivit.

Elle fit glisser les bretelles de son maillot et libéra ses seins blancs comme le sable pour les laisser flotter. Elle gloussa, elle rosit.

Lorsqu'il eut de l'eau jusqu'à la poitrine, B.J. se retourna pour contempler les collines d'un vert éclatant.

— Ce qu'elle est belle, cette jungle..., commença-t-il.

Puis il aperçut les deux Noirs torse nu, allongés, au milieu d'un bosquet de jeunes palmiers. Il n'en croyait pas ses yeux, il eut l'impression que son cœur venait de s'arrêter.

— Oh, mon Dieu, murmura-t-il à Ronnie. Ils sont sur cette plage.

Le jeune couple s'éloigna du bord. En marchant, puis à la brasse, vigoureusement.

B.J. avait pris le commandement.

— Va derrière l'épave. Tu y arriveras, Ronnie ?

Damian Rose tira un premier coup de feu. La balle creva la surface de l'eau avec un bruit sourd, huit mètres devant eux.

Les Singer s'arrêtèrent de nager, puis repartirent en direction de l'épave avec de grands mouvements violents et affolés.

Une deuxième balle souleva un petit geyser d'eau à moins de trente centimètres de B.J. Une troisième détonation retentit dans le lointain, mais le projectile sembla se perdre. B.J., touché dans le dos, ne laissa rien paraître.

Ils atteignirent enfin l'ombre effilée du schooner. Ici, il faisait frais. La carcasse du bateau, rongée par la moisissure, couverte de berniques, les dominait d'une hauteur de dix, douze mètres.

Alors qu'ils contournaient l'épave, Ronnie sentit sur le côté comme un puissant courant glacé. Elle tourna légèrement la tête et vit, à quelques centimètres d'elle, une ombre argentée longue d'un mètre vingt ou plus. Elle plongea la tête sous l'eau. Eut un moment de panique en pensant à ses deux jeunes enfants restés à Newport News, à sa mère, à la noyade.

Une autre lame d'argent fendit la surface de l'eau près de B.J., comme un éclair incurvé. Un gros barracuda qui devait peser au moins trente kilos. Il y en avait deux, maintenant.

— Nage tout doucement, hoqueta B.J. Reste derrière le bateau. Fais ce que je te dis. Nage tout doucement.

Les poissons fuselés donnaient l'impression de glisser dans l'eau. Ils s'éloignaient, puis revenaient, effleuraient le couple de la queue, comme pour le jauger, et laissaient entrevoir leurs petites dents pointues et acérées.

Quand la douleur lui vrilla le haut du dos, B.J. finit par se laisser flotter juste sous le beaupré du schooner. De là, il distinguait parfaitement la plage.

Il aperçut les deux Noirs au torse nu qui se repliaient dans les hauteurs. Pas de trace du type au fusil. Il suivit les Noirs des yeux jusqu'à ce qu'ils disparaissent dans la jungle si touffue, si dense. Jusqu'à ce que la douleur devienne intolérable.

Puis Ronnie et lui contournèrent l'épave en barbotant, toujours escortés par les deux énormes poissons, vifs comme l'éclair.

Les Singer nageaient en évitant les gestes brusques, en évitant d'éclabousser, en évitant de respirer trop fort.

Et finalement, lorsqu'ils se retrouvèrent dans un mètre cinquante d'eau, lorsqu'ils eurent enfin pied, les deux gros barracudas battirent en retraite. Ils donnèrent de grands coups de queue et s'éloignèrent vers le bateau échoué... B.J. et Ronnie parcoururent les cinquante derniers mètres en marchant.

Et quand les Singer s'affalèrent sur le sable mouillé tels les survivants d'un naufrage, Damian Rose pressa la détente une fois, deux fois, et il les abattit de toute façon.

13

Pour faire simple, disons que je n'avais pas envie de vivre et de mourir dans un trou perdu. Comme Madame Bovary.

Carrie Rose, *Journal*

Coastown, San Dominica

A onze heures, ce matin-là, Carrie Rose se faisait bronzer au bord de la gigantesque piscine d'eau de mer de l'hôtel Princess.

A quelques mètres d'elle, au bar, un courtier new-yorkais de trente-trois ans, Philip Becker, se lamentait : où était passée la belle vie ? Il essayait également d'attirer l'attention de Carrie.

— Quelle tristesse, quelle misère, psalmodia-t-il comme s'il faisait l'éloge funèbre de San Dominica. On finit par trouver le temps de prendre des vacances. On débourse deux mille dollars pour passer, disons, dix merveilleuses journées sans avoir à se trimballer dans Manhattan, à subir les tarés, les clodos, la racaille à chaque coin de rue... Et voilà que, brusquement, une révolution vient tout vous gâcher ! Ç'aurait pu être la pluie, ou des coups de soleil. Eh bien, non, une révolution !

Carrie secoua sa chevelure couleur sable, dévoila les perles de ses boucles d'oreilles. Le numéro de Becker commençait à la faire sourire.

— J'aime bien votre façon de raconter ça, lui dit-elle en posant la main sur la sienne. « Eh bien, non, une révolution ! »

— C'est exactement ce qui est en train de se passer, lui répondit le trader. Il y a une machette derrière chaque palmier. (Il contempla ostensiblement la poitrine de Carrie, ses longues jambes, son ventre de nageuse, musclé et hâlé. Son entrejambe.) Ce fameux Dred – pardon, ce *colonel* Dred – s'apprête à faire un véritable carnage. Ce qui signifie que moi, je vais regagner mes terres new-yorkaises, nettement moins dangereuses.

— Et ce qui fait que du jour au lendemain, cent cinquante mille touristes et propriétaires veulent quitter l'île en même temps, ajouta Carrie.

Philip Becker leva son verre en souriant.

— Au... colonel Monkey Dred qui a, euh, fichu en l'air nos vacances respectives. Va te faire foutre, Monkey.

Carrie Rose décida à cet instant que ce Philip Lloyd Becker lui plaisait bien. Il était merveilleusement sûr de lui. Presque aussi charmeur que Damian Simpson Rose.

Philip le charmeur lui souriait toujours. Il était galant. Bel homme. Allure sportive. Une publicité vivante pour le New York Athletic Club. Et il était aussi creux qu'une blonde évaporée.

Lorsqu'il finit par lui demander si elle voulait remonter à sa suite avec lui, Carrie répondit oui.

C'était le début d'une petite sous-intrigue style *cherchez la femme*. C'était aussi une sorte d'expérience.

Vendredi après-midi

Livrés à eux-mêmes, désorientés comme les personnages d'une pièce de Neil Simon, Peter et Jane commencèrent par se précipiter au palais du Gouvernement san dominicain. Ils iraient ensuite voir les rédactions du Gleaner et de l'Evening Star.

— Si un mystérieux individu blanc est effectivement mêlé à l'affaire, leur expliqua au siège du gouvernement un Oncle Tom à l'accent très britannique, soyez certain que nous le saurons lorsque nous aurons capturé le colonel Dred. Et pour l'heure, nous nous efforçons de faire tout ce qui est en notre pouvoir pour arrêter Dred.

— Et nous qui vous faisons perdre votre temps, alors que la chasse à l'homme est engagée ! fit Peter avant que Jane ne réussisse à le tirer hors de la salle.

Il était midi lorsqu'ils traversèrent le marché de Front Street. Des enfants vendaient des noix de coco vertes, des ignames et du poisson frais. Devant les échoppes de disques, les sonos crachaient des morceaux comme « Kung Fu Fighting ». Au passage de Jane, tous les Blacks du coin y allaient de leur regard torve et de leur sourire flemmard.

— La dame veut faire un petit tour en taxi ?

— Mes noix de coco, ça vous dit ?

Une rue plus loin, ils quittèrent le centre-ville pour se diriger vers la célèbre plage de Horseshoe Beach.

— On pourrait se croire au paradis ! s'écria Jane lorsqu'ils foulèrent le sable.

Une galaxie d'étoiles étincelantes lançait des milliards de feux à la surface de la mer Caraïbe, presque blanche. Les longues mèches blondes de Jane brillaient dans le soleil... C'était elle, l'inaccessible créature de rêve qu'on apercevait toujours sur les plages.

Et en longeant le rivage – alors qu'ils s'étaient juré de ne pas le faire – ils sentirent un merveilleux sentiment de calme et de plénitude s'emparer d'eux. Comme si plus rien n'avait d'importance, comme si seuls comptaient encore ce soleil onctueux qui leur cuivrait la peau et ces embruns qui leur grêlaient le visage de gouttes microscopiques.

— C'est vraiment génial, Peter. *Kowabunga !* Une vieille expression indienne pour dire qu'on est ravi et impressionné. Non, en fait, ça vient d'une émission de variétés.

— On se demande qui peut bien avoir envie de s'installer au beau milieu du Michigan. Ou dans n'importe quelle région où il fait froid. Oh, Caleb, regarde-moi cette magnifique steppe ! Si on construisait notre maison ici...

— Et si tu la mettais en sourdine ?

Pieds nus, tenant à la main leurs mocassins et sandales, ils passèrent sous une jetée en bois assez basse, aux piliers couverts d'algues et de berniques. Le brouhaha d'un bar à fruits de mer résonnait au-dessus d'eux. Alors qu'ils émergeaient de sous la voûte de planches noircies, rongées par la moisissure, Peter leva les yeux à la verticale. Et sa belle humeur se brisa aussitôt comme un rameau de bois sec.

Les deux tueurs noirs de Turtle Bay se baladaient, tranquillement, comme des touristes. Le Cubain et Kingfish Toone. Plus inquiétant encore, le plus petit pointait le doigt vers la plage. Vers l'endroit où se tenaient Jane et lui.

— Janie, dit-il, on n'a pas le temps de réfléchir à la question, mais je veux que tu te prépares à courir comme une malade. Les tueurs de Turtle Bay sont sur notre plage.

Pendant ce temps, les deux Noirs dévalaient l'escalier de bois en colimaçon qui descendait jusqu'à la plage. Avec leurs costumes d'été et leurs chapeaux mous, on aurait dit des hommes d'affaires de la région en tenue d'apparat.

Peter se retourna et vit les deux types foncer dans leur direction. Ils avaient l'air costauds, ces enfoirés. Ils couraient comme des fous, bousculaient les vacanciers, leur marchaient dessus. Que comptaient-ils faire ? Commettre une exécution publique ?

— Allez, on file. Cours !

Flic, floc. Leurs pieds nus envoyaient valser le sable, et le sable aspergeait les corps en train de bronzer de part et d'autre de leur piste. Jane courait vite, heureusement !

Tout en s'efforçant de tenir le rythme, Peter essayait désespérément de réfléchir. Il jeta encore un coup d'œil par-dessus son épaule. Faillit percuter toute une famille traînant dans le sable ses serviettes d'hôtel.

Des Américains venus se faire dorer sur la plage, qui ne faisaient strictement rien, qui se tenaient soigneusement à l'écart de la poursuite. La mafia aux Caraïbes. Laissez passer.

Jane essayait de franchir tant bien que mal un véritable parking de serviettes de plage. Sa poitrine et ses cuisses commençaient à la brûler. Elle ressentait un léger point de côté. Elle aperçut, une centaine de mètres plus loin, quelques bâtiments de grès. Des douches, des vestiaires. Et du toit du petit ensemble, un escalier blanc rejoignait les planches de la promenade.

— Peter ! Par ici !

Quelques mètres plus loin, Peter attrapa la veste d'un type très grand et très poilu.

— Aidez-nous ! S'il vous plaît, appelez la police !

L'autre le repoussa et recula d'un pas.

— Me touche pas. Dégage.

Personne ne voulait les écouter. Voilà qui expliquait l'étrange attitude de la police et du personnel de l'ambassade : comment auraient-ils pu imaginer que quelqu'un était disposé à les aider ?

Plus terrifiés que jamais, les deux jeunes gens reprirent leur course effrénée.

Ils fendirent les groupes qui se dirigeaient vers les douches et les vestiaires. Des gosses obèses avec des ballons ovales en plastique. Des effluves de crème solaire leur fouettaient les narines. Ils ne sentaient même pas les corps qu'ils bousculaient. Ils étaient dans un état second. Tout leur paraissait irréel.

Ils pénétrèrent dans le bâtiment et se retrouvèrent dans la fraîcheur d'une grande salle nue, au sol de ciment, dont il aurait été difficile de cerner la fonction. Il y avait là vingt, trente personnes. Des petits caïds qui fumaient des pipes en épis de maïs. Et quatre portes.

— Les escaliers ? hurla Peter à un visage rose sous un grand chapeau de paille. *Princesse.*

— Les escaliers ! renchérit Jane. Dites-nous où ils sont !

Quand *Princesse* leur indiqua la gauche, Peter et Jane entendirent du bruit derrière eux.

Un maître-nageur noir déboucha soudain d'un des couloirs en béton. Il courait. O.J. Simpson avec des dreadlocks. Il apostropha d'une voix puissante les deux hommes qui venaient de passer la porte principale.

Booooum !

Une détonation d'une incroyable violence secoua les lieux. Le sang gicla dans tous les sens, un sang écarlate. Plaqué contre le mur, le sauveteur s'écroula lentement, la tête la première, dans un fouillis de tresses.

Dans l'étrange salle nue, tout le monde se mit à hurler. « Quelqu'un a été tué ! » Les gens plongeaient à terre. Dans le dos du maître-nageur, il y avait un trou gros comme une balle de base-ball. Un énorme test de Rorschach, en rouge. C'était la panique la plus totale.

Peter et Jane regardèrent le corps, ils s'en voulaient. Et ils reprirent aussitôt la fuite. A gauche, leur avait-on dit, mais ils ne voyaient pas d'escalier.

— Tu as une idée ?

— Non.

— Putain !

Ils prirent un couloir, tombèrent sur des portes. TOILETTES, DOUCHES HOMMES, PLACARD, DOUCHES FEMMES, ENTRETIEN. C'était une impasse. Et ils n'avaient pas d'idées.

Puis Jane pensa à quelque chose.

— Par ici.

A l'intérieur des DOUCHES FEMMES, un nuage de vapeur les assaillit, comme si une bûche brûlante leur tombait sur la tête. Ils distinguèrent une paire de fesses blanches. Une deuxième paire de fesses. Des rangées de casiers gris, des bancs.

— On trouvera peut-être un coin où se cacher.

La femme nue partit à gauche, ils prirent à droite, en se tirant mutuellement, essayant de ne pas heurter les casiers anguleux. Et ils entendirent la lourde porte métallique du couloir s'ouvrir et se refermer.

— Au moins, on aura essayé, murmura Peter.

Il tira une porte en bois, et ils se retrouvèrent à l'intérieur d'une étroite pièce carrelée où cinq ou six douches coulaient. A travers les cascades, ils virent une maman et sa fille, qui devait avoir trois ans. Des Noires, nues.

La petite, les cheveux pleins de mousse, regarda le couple d'intrus, ces deux Blancs, comme s'il s'agissait de Laurel et Hardy, en chair et en os. Sa mère, en revanche, avait l'air terrorisée. Elle croisa les mains sur sa poitrine et commença à pousser des cris.

— Je vous en prie, lui dit Jane en passant sous les douches et en entraînant Peter à sa suite. Je sais que ça doit vous paraître bizarre, mais il y a des hommes qui nous poursuivent. Je vous en prie, ne criez pas.

Au bout de la rangée de douches, ils se réfugièrent dans une petite alcôve.

— De la porte, on ne nous verra pas, fit Jane.

— Qu'est-ce que vous voulez ? demanda enfin la femme noire.

— Je vous en prie, aidez-nous, répéta Jane, à mi-voix.

Collée contre le carrelage moite, elle sentait sa sueur, beaucoup plus fraîche, se mêler à l'eau très chaude de la douche. Une image lui apparut, une image qui la fit frissonner. Elle voyait nettement les deux hommes pénétrer dans les douches. Tirer sur elle et sur Peter. Tirer sur la maman et sa fille. ÉTRANGE TUERIE DANS UNE SALLE DE DOUCHE !

Ils entendaient les deux hommes qui gueulaient dans les vestiaires, qui juraient. Les femmes qui hurlaient. Les portes des casiers, qui claquaient.

— Je crois que je saigne du nez, dit Jane.

Cela n'avait aucune importance. Les deux tueurs venaient d'entrer dans les douches.

Peter se prépara. Il allait devoir les affronter à mains nues.

— Qu'est-ce que vous voulez ? répéta la femme noire, mais en s'adressant cette fois aux deux tueurs.

Ces derniers restèrent muets. Puis des pas claquèrent sur le carrelage. Des semelles cloutées. Le type venait vérifier qu'il n'y avait personne. Ils l'entendaient, ce salopard, sans pouvoir le voir ; c'était horrible. Avait-il l'arme au poing ?

Peter et Jane sentirent tous leurs muscles se crisper. Contre le mur, devant eux, il y avait un balai-serpillière mouillé. Une arme ?... *Une arme.*

Peter retrouva soudain un formidable instinct protecteur. Fou de rage, il était prêt à frapper le boucher noir à coups de balai. Il essaierait de s'emparer de son arme. De descendre le type devant l'entrée. Ses chances de réussite étaient bien minces.

Puis l'autre cria quelque chose en espagnol. *Vamonos.*

Les deux hommes s'en allèrent, et il y eut des cris à l'extérieur. D'autres portes claquèrent.

Jane resta plaquée contre le mur comme un linge mouillé. Ses cheveux blonds, souillés, évoquaient une serpillière. Elle saignait du nez.

Peter se laissa glisser et se retrouva accroupi, en position fœtale. La position d'un mec mort de trouille. Il vit que la femme noire qui se trouvait dans les douches avec eux était très jeune. Elle devait avoir vingt ou vingt et un ans. Tout en os. La petite fille était très jolie. Elle pleurait car sa mère pleurait.

— On est vraiment désolés, bredouilla Peter.

Jane et lui attendirent quelques minutes, et après avoir fait promettre à la jeune femme d'appeler la police, ils sortirent du local.

Dans les couloirs, pas de trace des tueurs, mais le bâtiment grouillait de monde. Des hurlements déferlaient dans les tunnels de ciment. Des gens étaient en pleurs.

Ils finirent par trouver l'escalier, et se frayèrent un chemin au milieu de l'attroupement qui s'était déjà formé. « Un autre meurtre à la machette ? » demandaient les curieux. En haut des marches, Jane étreignit Peter.

— Serre-moi dans tes bras, Peter. Serre-moi fort, une minute.

Puis, pour la deuxième fois en deux jours, la police san dominicaine prit la description du Cubain et de Kingfish Toone.

— Pas d'Anglais blond ? fit mine de s'étonner le constable.

— Il était là, lui répondit Peter. Il se trouve juste que, cette fois-ci, on ne l'a pas vu.

Le policier noir sourit.

— La dernière fois, on ne l'a pas vu non plus.

Las Vegas, Nevada

Vendredi soir

Ce soir-là, à Las Vegas, l'opération San Dominica franchit une nouvelle étape dans sa course effrénée à la catastrophe : la société Great Western Air Transport entra en contact avec la famille Forlenza pour la première fois depuis le rendez-vous de Lathrop Wells.

A dix heures du soir, à la sortie de l'hôtel Flamingo brillant de mille néons, un homme très corpulent et aux cheveux longs – quelqu'un de très futé avait dû se dire que c'était le look du joueur professionnel – suivit la limousine d'Isadore Goldman. Ils se dirigeaient vers le « centre-ville ».

Le volumineux agent de renseignement s'appelait Tommie Hicks, et il était diplomé en droit de l'université de Stanford, promotion 1968. Il avait fait partie des premiers représentants de la CIA présents lors de la rencontre de Lathrop Wells.

Hicks suivit Goldman sur Sahara Boulevard, à deux voitures de distance. Ils prirent le Strip. Dépassèrent l'immense pendule du Sahara, qui affichait 9:58 et 28° Celsius. Dépassèrent le Sands et trois cents autres hôtels clinquants à souhait.

Arrivèrent au Caesar's Palace.

Une fois à l'intérieur de la mecque du jeu, Izzie Goldman décida de jouer au black-jack. Il misait des sommes importantes. Pour les croupiers, le vieux était ce qu'on appelle un « George » : un gros joueur, et de grande classe.

A la table de black-jack, Goldman gagna en une heure ce qui, pour beaucoup de gens, représentait déjà une belle année de salaire, soit un peu plus de 34 000 $. Puis il entreprit de perdre plus de 40 000 $ au baccarat.

Pour Tommie Hicks, qui gagnait 28 000 $ par an, ce va-et-vient avait quelque chose de vertigineux. Au cours de la soirée, à plusieurs reprises, il s'imagina emportant les jetons du vieux pour les mettre en lieu sûr.

Peu après une heure, Goldman quitta enfin la table de baccarat pour se diriger vers les toilettes.

Sur le portillon, on pouvait lire CAESAR'S.

Tommie Hicks prit le même chemin. Il savait parfaitement que, dans cette histoire, il n'était qu'un pion parmi d'autres.

L'agent de la CIA se campa devant la porcelaine étincelante de l'urinoir, à gauche du vieux.

Et il s'aperçut alors qu'il n'avait pas envie. Pas une goutte. C'était plutôt comique. Suivre comme son ombre un petit vieux de soixante-quatorze ans. Grotesque.

— Je ne vous ai pas déjà vu dans une soirée, chez Harry Hill ? demanda-t-il tandis que l'autre était en train de pisser.

Trois urinoirs plus loin, un Noir – un mac – jeta un regard dans leur direction et dévoila, dans un grand sourire, ses belles dents en ivoire et en or.

Izzie Goldman regarda Hicks, haussa les épaules. Des petites épaules voûtées.

— Ah, désolé, ce n'était pas moi.

Le vieux mafioso acheva d'uriner, referma sa braguette, se dirigea vers les luxueux lavabos et remonta sa montre-bracelet sur son bras décharné pour se laver les mains.

Le maquereau s'aspergea d'English Leather, puis sortit des toilettes sans se laver les mains.

Goldman indiqua du menton la porte qui se refermait.

— Il est crade, et il pue. (Des deux mains, il lissa ses cheveux blancs.) J'ai cru comprendre que monsieur Hill a un problème, ajouta-t-il sans cesser de mâchouiller son cigare.

— Pas tellement avec monsieur Hill. Ce sont nos deux autres amis qui nous inquiètent un peu.

Isadore Goldman frappa sur les robinets qui sifflaient. Il se souvenait vaguement avoir vu ce gros lard à la ferme, dans le désert du Nevada.

— J'espère que c'est un petit problème.

— Tout petit, pour l'instant… mais nous voudrions avoir votre accord pour les supprimer tous les deux si le problème se prolonge.

Goldman scruta son visage dans le miroir constellé de taches d'eau. Je commence à me ratatiner, songea-t-il. Pas beaucoup, mais quand même…

Il haussa les épaules.

— Vous ne devriez pas à avoir à me poser la question… mais je vais vous dire quelque chose pour que vous n'ayez pas l'impression d'être venu pour rien. Je serais vraiment très étonné que des gens aussi intelligents que les Rose ne soient pas à même de régler d'éventuels petits problèmes.

Tommie Hicks sourit dans la glace au cadre doré, juste au-dessus de la tête du vieux.

— Ce qui nous a vraiment très étonnés, c'est qu'il y ait eu des problèmes.

Turtle Bay, San Dominica

Ce soir-là, à huit heures, Macdonald débarqua d'un bus à impériale qui pétaradait et sifflait comme si son moteur allait rendre l'âme, et descendit l'allée du Plantation Inn, au gravier bien ratissé. Il avait jeté sur son épaule sa chemise auréolée de taches de transpiration.

Ayant réussi à persuader Jane de passer la nuit chez des amis, à Coastown, il devait désormais affronter seul un problème de taille : il était l'unique témoin, et personne ne voulait de lui.

De toute évidence, la police locale n'était pas disposée à l'aider… L'ambassade américaine ne lui avait pas, à proprement parler, déroulé le tapis rouge… Et les journaux ne se montraient guère plus coopératifs.

Pourquoi une telle attitude ? C'était la grande question.

En longeant la plage noire et déserte de l'hôtel, Peter commença à se demander si, d'une manière générale, toutes les enquêtes criminelles étaient aussi désespérantes. Des recherches à l'aveuglette. Des fausses pistes en veux-tu en voilà. Et pas de solutions rapides. Jamais.

Lorsqu'il aperçut la silhouette du bungalow qu'il occupait avec Jane, il repensa brusquement aux deux tueurs noirs de Coastown. Si ces types étaient des révolutionnaires du cru – les hommes de Dred – lui, il était le fils de Cary Grant.

Il s'arrêta net. Paranoïa, ou prudence. Son cœur se mit à battre aussi fort que pendant sa dernière mission en solo dans les collines du Sud-Vietnam. Dissimulé derrière les grandes feuilles de bananier, il scruta les ténèbres, en bon sergent des Forces spéciales…

Le petit bungalow rose pour amoureux en lune de miel. L'ombre du toit. Les fenêtres à claire-voie. La porte de bois qui donnait l'impression d'être de travers à cause du sable. La nuit caraïbe dans ce qu'elle avait de plus inquiétant. Bel endroit pour une embuscade…

Après avoir passé dix bonnes minutes à étudier les lieux, ne constatant rien d'anormal, voyant que rien ne bougeait, hormis les feuilles de palmiers et les nuages d'altitude, Peter avança.

Dans l'allée de cailloux et de coquillages, à mi-chemin, il distingua une forme sombre sur la table blanche du patio. En se rapprochant, il reconnut le lévrier afghan de Max Westhuis, et laissa échapper un cri d'horreur… Le beau chien au long poil avait été coupé en deux.

Les machettes.

— Oh, putain !

Il frissonna. Sentit monter la nausée. C'était la première fois qu'il voyait de ses propres yeux l'œuvre de ces coupe-coupe à la lame acérée.

Le corps du chien de race au beau pedigree avait été proprement tranché au niveau de la cage thoracique. Des fourmis et des mouches se bousculaient dans la plaie béante, comme autour d'un immense et cauchemardesque buffet.

Peter se précipita à l'intérieur du bungalow pour prendre des vêtements, son argent, ainsi qu'un revolver Colt .44 dissimulé dans sa pile de T-shirts. Un souvenir personnel.

Il reprit son souffle. S'interrogea. Où pouvait-il se cacher ? A qui pouvait-il parler ? A qui pouvait-il faire confiance ? Comment quitter l'île ?

Il tenait surtout à éloigner les tueurs de Jane. Leur faire comprendre que leur problème, c'était lui. Le Témoin.

Pourquoi étaient-ils allés jusqu'à massacrer ce chien ? Le surveillaient-ils ? Et qui était ce grand blond ? La tête encombrée de questions, Peter Macdonald retourna au trot à l'hôtel bien éclairé. Traversa le portique et se retrouva sur le parking, dans le noir. Il tenta d'appeler Jane chez son amie, à Coastown. Pas de réponse.

Puis, ce 4 mai, à neuf heures moins le quart, sans trop savoir ce qu'il allait en faire, Peter « emprunta » pour la deuxième fois en une semaine la moto du directeur de l'hôtel.

Tandis qu'il remontait l'allée au ralenti, un homme de grande taille s'avança dans l'ombre, sur la route, dans le nuage de poussière.

Damian Rose regarda Macdonald quitter les lieux – et le laissa faire.

Peter Macdonald était dans les temps.

Le calendrier des opérations avait été parfaitement respecté.

Depuis Turtle Bay, l'efficacité des machettes ne s'était pas démentie.

Quand tout serait fini, Carrie et lui auraient fait la preuve qu'ils valaient bien un million de dollars. Ils seraient aussi célèbres que Charles Manson et consorts, et leur valeur sur le marché atteindrait des sommets.

Samedi 5 mai 1979

La guerre à Monkey Dred est déclarée

Le cinquième jour, le Premier ministre san dominicain, Joseph Walthey, tint une conférence de presse pour annoncer, d'un ton grave, que les récents meurtres à la machette pouvaient désormais être imputés avec certitude au colonel Dred et à son petit groupe de dissidents.

Joseph Walthey, flanqué de son épouse et de l'ambassadeur des Etats-Unis, lui-même accompagné de sa femme, révéla qu'à sept heures, ce matin-là, un bataillon de soldats san dominicains et américains avait pénétré dans la jungle de West Hills. La confrontation avec les hommes du colonel Dred aurait vraisemblablement lieu avant la fin de la journée.

Pendant ce temps, l'aéroport Robert F. Kennedy, à Coastown, et l'aéroport Kiley, à Port Gerry, s'étaient tous deux transformés en ruches et bourdonnaient d'une activité aussi féroce qu'inhabituelle. Un porte-parole des compagnies aériennes déclara que, malgré les vols supplémentaires mis en place, il leur faudrait encore au moins quatre jours pour donner satisfaction à toutes les personnes souhaitant quitter San Dominica, les îles Vierges, la Jamaïque et Haïti.

Une anecdote : tandis que des milliers de vacanciers fuyaient les îles, quelques centaines d'amateurs de scènes macabres arrivèrent sur place.

Au cours des quatre premiers jours, plus de 250 personnes se rendirent à San Dominica pour découvrir les lieux où avaient été commises les atrocités. Juste pour être là. Pour voir la mort à l'œuvre. Et, avec un peu de chance, prendre une photo ou enregistrer une bande.

14

« Je n'ai plus de réactions morales, disait Damian. Mais il m'arrive de ressentir une sorte d'immense et froide compassion. »

Carrie Rose, *Journal*

5 mai 1979, West Hills, San Dominica

Samedi matin. Le cinquième jour de la saison.

Peter commençait à avoir un deuxième aperçu, de l'intérieur, des petites guerres sales et sournoises qui s'étaient multipliées – ou du moins, étaient revenues à la mode – au cours des années soixante.

Durant quelques minutes, il entrevit, avec une terrifiante netteté, toute l'inhumanité dont l'homme pouvait faire preuve à l'égard de l'homme. Les étranges manigances auxquelles certains étaient prêts à se livrer pour obtenir un avantage. L'horreur de sa situation. Il était seul, pris dans la tourmente du terrorisme et de la guérilla, et ignorait ce qui se passait. Totalement dépassé par les enjeux de la situation, il n'était qu'un zéro sur l'échelle de Richter du monde. Un pauvre type.

Un liquide foncé et visqueux coulait, goutte à goutte, sur sa poitrine. De l'huile de moteur, comprit-il au bout d'un instant de confusion.

Un train arrivait !

Un train s'approchait de sa planque, dans la jungle des West Hills ! Le territoire du colonel Dred.

Un train ? s'interrogea Peter. Une planque ? Il était en train de perdre les pédales.

Il roula sur lui-même et regarda entre les hautes herbes, en se raclant la gorge pour évacuer le pollen et la rosée. Deux lézards passèrent devant son nez, l'un derrière l'autre. Ils semblaient bien se connaître. Sans doute de vieux amis. Peut-être même qu'ils sortaient ensemble... Les deux lézards s'arrêtèrent et jouèrent dans l'herbe tels de minuscules dinosaures. Ces petits monstres n'étaient vraiment pas farouches. Des bulles écarlates gonflaient sous leur cou vert et bleu.

Macdonald s'éloigna de la BMW d'une roulade, s'assit dans l'herbe et enleva les brindilles et les petits cailloux incrustés dans la peau de ses bras. Il contempla le soleil qui perçait entre les arbres festonnés de lambeaux de mousse. Au-dessus des frondaisons, le ciel s'embrasait déjà. Il allait faire très, très chaud.

Il se planquait. Une réalité à laquelle il devait se faire, un peu comme s'il essayait un nouveau blouson. Il était en cavale.

Peter ressassa un instant encore ses idées noires avant de se relever. Il entreprit de faire du feu. Grappilla des feuilles mortes, des brindilles, du petit bois, des touffes d'herbe, tout ce qui pouvait être sec. Retourna à la moto pour prendre la trousse de campagne très raffinée de l'Allemand... Du Nescafé, des œufs en poudre, du bœuf séché, salé. L'affaire de quelques minutes.

Penché au-dessus de son petit feu, le jeune homme avala l'équivalent de quatre œufs, le pire café qu'il eût pu imaginer, une viande indéfinissable et une barre chocolatée qui avait fait tout le chemin depuis l'Allemagne de l'Ouest, *chuste pour ce chenre d'occassion.*

Tout en expédiant son festin, Peter pensa à Jane. Il envisagea d'aller la récupérer à Coastown, puis se dit qu'il valait mieux la tenir éloignée de lui. Et sans doute, également, de la police san dominicaine. Pour le moment, Jane était très bien là où elle était. Il aurait aimé pouvoir en dire autant.

Le petit déjeuner terminé, il alla chercher, dans les belles sacoches de cuir de la BMW, un T-shirt *West Point.* A l'intérieur, emmailloté, il y avait le Colt .44.

En empoignant le vieux revolver, il eut l'étrange impression d'avoir quitté la réalité. Il fit tourner le barillet. Il y avait une cartouche dans chaque alvéole. Il continua d'examiner l'arme, se souvint des stands de tir de West Point, cachés dans des bâtiments aux allures de bunkers, perchés au-dessus du terrain de football, le

Michie Stadium. Se souvint d'un stand de tir pourri, à l'intérieur d'une baraque en tôle où régnait une chaleur suffocante, dans le quartier de Cholon, à Saigon.

Peter leva lentement le Colt au canon long. Visa une feuille de bananier tachetée. Visa un minuscule oiseau jaune qui pépiait joyeusement. Visa une noix de coco verte. Et finalement un petit serpent noir qui remontait le tronc d'un gommier.

L'arbre se trouvait à environ trente-cinq pas. Trente-cinq mètres. Pour les amateurs, à cette distance, on entrait dans le domaine du tir acrobatique.

Dans la posture d'un gentilhomme en duel, Peter prit soigneusement sa visée et pressa tout doucement la détente.

La lointaine tête du serpent explosa comme si l'intérieur s'était décomposé. Et le corps du reptile se détacha du gommier à la manière d'une liane morte.

Finalement, ce beau tir le surprit agréablement. Ce revolver de collection s'avérait bien plus équilibré qu'il ne l'avait imaginé. Quant au tireur… Enfin, il savait ce que valait le tireur d'en face.

— Alors, mon gars ! hurla Peter face aux menaçantes West Hills. Qu'est-ce que tu dis de ça, le champion ?

15

Les John Simpson Rose. Etrange famille d'aristos. A l'âge de quatorze ans, le frère de Damian a été surpris en train de tricher pendant un examen à l'école Horace Mann, un établissement des plus élitistes.

Le gosse a avalé la moitié du contenu d'un vase à bec. Acide sulfurique. S'il n'est pas mort, c'est que la dose était si importante qu'il a tout vomi. Il est resté paralysé et depuis, il vit dans un établissement spécialisé. La mère de Damian passe tout son temps en clinique, elle aussi. Le père, lui, parcourt Manhattan et Londres dans la grosse limousine noire que lui fournit une banque internationale. Damian a bien l'intention de tuer son père, dans sa limousine, un jour ou l'autre...

Carrie Rose, *Journal*

Mercury Landing, San Dominica

Samedi après-midi

Mercury Landing était l'un des endroits du littoral les plus pittoresques et les mieux préservés.

Des falaises noires encadrant une langue de sable blanc. Des palmiers royaux peuplés d'une multitude de perroquets et autres oiseaux tropicaux. Un énorme soleil rouge fiché au-dessus de l'océan, tel l'œil furieux de Dieu.

Il y avait également une grande villa blanche, en surplomb. Et d'un côté, cachée dans l'ombre des casuarinas, une berline vert foncé.

Une chose était certaine : San Dominica avait tout d'un paradis terrestre.

Un homme et une femme se promenaient sur la plage de Mercury Landing, nus. Sans vêtements, les jambes de Carrie Rose donnaient l'impression d'être un peu trop longues, un peu arquées. Et les pieds étaient légèrement trop grands, trop plats.

Détails insignifiants. La svelte jeune femme était très belle, sans vêtements.

Damian, qui marchait à ses côtés, était presque aussi séduisant. Lui non plus ne portait rien, sinon une combinaison en éponge pendue au bras. Il était grand, large d'épaules. Jambes musclées, ventre plat et ferme. Belle chevelure blonde.

Sous les boucles claires de son pubis pendait un sexe long et bronzé.

— Les tueries devraient être terminées, maintenant, lui disait Carrie, avec son éternel petit accent du Midwest. Ça traîne. Une semaine, c'est trop long.

Damian se contenta de lui sourire. Il lança un regard en direction d'un bateau en train de franchir les récifs, dans le lointain. Une tache grise sur une ligne noire qui ondulait.

— Tu es trop tendue, c'est tout, lui répondit-il à mi-voix, d'un ton parfaitement détaché. Non, ça ne traîne pas. Pour l'instant, tout se passe idéalement. Cette île est en proie à la folie et à la paranoïa, on se croirait dans un asile… Qui plus est, toi, dans deux ou trois jours, tu t'en vas. Tu peux même commencer à dépenser tous tes sous. Offre-toi quelques voitures, ou je ne sais pas, Carrie.

Carrie Rose passa le bras autour de la taille bien ferme de son mari.

— Je veux que tu partes avec moi. Je crois qu'il vaut mieux. Tu veux bien, Damian ? Partir en même temps que moi ?

— Si je m'en vais, répondit-il en haussant le ton, Campbell et Harold Hill vont se lancer à notre recherche. Et tôt ou tard, ils nous retrouveront. Un jour, on verra arriver une grosse voiture noire, à la villa ou ailleurs. Leurs tueurs aux cheveux courts vont nous tomber dessus comme des petits nazis. Ils nous abattront. Et ils deviendront des héros. Ils écriront des bouquins et feront des films genre *French Connection*.

Et brusquement, son humeur changea. Il se mit à sourire, contre toute attente.

— Regarde comme il grandit. Petit garnement. *Grand garnement…*

Pendant qu'il parlait, son sexe s'était tendu, en obliquant à gauche. Le bout, gorgé de sang, effleurait à présent la jambe nue de Carrie.

Elle l'écarta.

— Si tu veux que je mette les points sur les « i », disons que cette fois, j'ai peur. Tu joues sur trop de tableaux à la fois. Je n'ai pas envie que nous finissions comme ça… Tu parlais de petits nazis, tout à l'heure. C'est nous qui finirons traqués comme des nazis.

Damian leva les bras comme un Français.

— Qu'ils nous traquent, qu'ils nous traquent. Ils ont mis vingt ans à retrouver Eichmann. Ils sont très cons, Carrie, ne l'oublie pas. Ils s'agitent beaucoup, mais ils sont tous très cons.

Carrie se contenta d'incliner la tête. Sa longue chevelure balaya sa poitrine.

Durant quelques minutes, ils longèrent la crique en silence.

— Et si je m'allongeais dans l'eau, ici ? dit-elle enfin.

Ils firent quelques mètres de plus, jusqu'à l'endroit où le sable blanc était encore mouillé. Damian étala sa belle combinaison en tissu-éponge. Carrie s'allongea, et Damian s'agenouilla à ses côtés. Lentement, il se pencha vers elle et, l'espace d'un court instant, elle crut percevoir dans son regard bleu azur un semblant de douceur.

— Bon, raconte-moi, Carrie, lui dit-il. Comment était ton beau courtier ?

Samedi soir

Le grand coup de théâtre devait avoir lieu ce soir-là, le samedi 5 mai.

A onze heures, des phares surgirent devant le grand portail argenté de la propriété de Mercury Landing. Emergeant de l'ombre, le Cubain fit signe au premier véhicule de passer.

Damian, au fond de l'allée, entendit les gros pneus broyer les gravillons.

Une heure de retard, mais ils avaient fini par arriver…

Rose posa la main sur le Smith & Wesson glissé sous sa veste. Un petit .38 à canon court, qu'il jugeait parfaitement adapté. Ce soir, en effet, il allait jouer Hammett pour la population locale.

Deux autres véhicules arrivèrent. L'un d'eux avait des phares si mal réglés qu'ils éclairaient, d'un côté, le haut gazon des Bermudes et de l'autre, les palmiers et le ciel pourpre.

Les trois 4×4 disparurent momentanément derrière des arbres et des arbustes appelés feu-de-la-forêt, où six hommes de main recrutés sur place avaient pour instructions d'attendre.

Puis la lumière des phares éclaboussa les murs et les fenêtres de la villa blanche noyée sous la végétation, et les véhicules se garèrent au milieu d'un bosquet de casuarinas.

Prêt ou pas, songea Damian, c'est parti. Lever de rideau.

Il répéta une dernière fois son texte avant de s'avancer.

De l'autre côté de la villa, sur l'immense terrasse dallée, on entendait Kingfish Toone parler petit-nègre avec son accent franco-congolais.

— Nous être d'accord pour payer vous en cash, juste en cash, expliquait l'imposant mercenaire aux quatre chefs de guérilla qui venaient d'arriver. Cent vingt-cinq mille dollars. Avec argent, vous pouvoir acheter n'importe quoi. Armes. N'importe quoi. C'est dernière offre, colonel.

Le beau visage chocolat de Dassie « Monkey » Dred tomba entre ses longues jambes, dans une pluie de tresses. L'homme émit un grand rire rauque.

Avant de faire des bruits d'oiseaux.

— Hé, qu'on m'enlève ce singe de là ! (Dred ne semblait pas s'adresser à quelqu'un en particulier.) Cet Africain, il sent comme un coiffeur américain.

Kingfish sourit, comme les hommes de Dred. L'Africain avait déjà souvent eu affaire à des fous de ce genre.

De l'autre côté de la terrasse, dans un rocking-chair en osier, le Cubain ne disait rien.

— Cette odeur, c'est quelque chose qui s'appelle le savon. L'odeur du savon, je parie que c'est nouveau, pour vous ?

L'homme qui venait de prendre la parole était un Blanc, blond, très grand, aux cheveux mouillés, lissés en arrière. Il avait l'air de sortir d'un magazine de luxe genre *Esquire* ou *Gentlemen's Quarterly*. Il portait un très élégant complet de gabardine crème, magnifiquement coupé. Une montre et une bague toutes deux en ivoire. Une ceinture et des mocassins Gucci.

Damian Rose lissa une nouvelle fois ses cheveux, puis traversa le patio pour rejoindre le jeune révolutionnaire barbu. Sa veste s'entrouvrit, révélant, dans un très beau holster, le Smith & Wesson.

— Colonel Dred, fit Damian avec un sourire à la Clint Eastwood, on admire votre action bien au-delà de cette île. Je veux parler de l'Europe. Des Noirs américains.

Les traits du guérillero s'adoucirent brièvement, ce qui n'échappa pas à Rose. Puis Dred balaya le compliment d'un geste de la main, et cracha sur la terrasse.

— Votre singe savant, là – il désigna Kingfish Toone, toujours assis –, il m'a proposé, quoi encore ? du cash… Du cash, j'en ai pas besoin. Je peux en avoir autant que je veux en vendant ma ganja.

Le regard bleuté de Rose restait rivé à celui du San Dominicain, beaucoup plus dur.

— Tout d'abord, sachez que ce « singe savant », comme vous dites, pourrait vous arracher les couilles en cinq secondes, colonel. Deuxièmement, quelle que soit la nature de votre problème, nous sommes à même de trouver une solution.

— Il veut des armes, pour la prochaine opération, lança le Cubain en espagnol. Il a du mal à trouver des armes.

Damian sc tourna de nouveau vers Dred.

— Pour des raisons évidentes, je ne tiens pas à vous surarmer, colonel… Mais vous aurez vos armes. Nous vous donnerons deux cent cinquante M-16. Et des armes de poing.

— Cinquante mille cartouches ! Et au moins cinquante mitrailleuses !

Dred hurlait, et ses trois lieutenants, béats, applaudissaient comme des chimpanzés de cirque.

Un petit sourire se dessina sur les lèvres du grand blond. Une fois de plus, il lissa ses cheveux, puis sortit de sa poche un paquet de cigarettes anglaises.

— Je ne peux pas vous donner les mitrailleuses, déclara froidement Damian.

Là, Monkey Dred se leva d'un bond en s'époumonant. Ses tresses dansaient comme des serpents noirs. Autour de sa taille ballottait une cartouchière de l'armée américaine.

— Quarante mitrailleuses, alors ! Et je les veux au moins un jour avant le *massacre*.

Damian Rose prit sur une table une bougie au camphre pour allumer sa cigarette. *Massacre*… quel mot savoureux…

Il laissa sa cigarette pendre au coin de sa bouche.

— Une mitrailleuse calibre cinquante. Pour vous ! Mais les autres armes doivent être distribuées maintenant. Et un bonus de vingt-cinq mille cartouches… Si je pouvais vous proposer mieux, je le ferais. Ce n'est pas mon argent, colonel… Nos amis, à Cuba, savent ce dont vous avez besoin, et ce dont vous n'avez pas besoin.

Un rire puissant monta des tréfonds de la poitrine du Noir.

— Alors, c'est d'accord ! hurla-t-il.

Damian Rose sourit. « Nos amis, à Cuba… » – il avait gagné. Massacre !

Il prit la bougie de camphre, dans son pot rouge, lança le tout vers l'océan. La lampe se fracassa sur les rochers avec un bruit d'ampoule électrique brisée.

Presque aussitôt, sur l'eau, des feux s'allumèrent. Un petit bateau à moteur se rapprocha de la côte.

Carrie.

— Vos armes, colonel, annonça Damian Rose. Assez d'armes et de munitions pour prendre toute l'île… si vous acceptez quelques petits conseils.

Dès six heures du matin, le sixième jour, deux autres meurtres à la machette furent commis avec un sang-froid inouï dans les deux hôtels les plus luxueux des deux principales villes de San Dominica.

A Coastown, on retrouva le corps d'un jeune photographe de mode originaire de Greenwich, Connecticut, flottant sur le ventre dans la jolie piscine du Princess, nichée dans la végétation. Un coupe-coupe à manche noir dépassait du dos de la victime, tel un point d'exclamation.

A Port Gerry, l'épouse d'un avoué anglais fut littéralement taillée en pièces tandis qu'elle cueillait des hibiscus dans le jardin du très chic Spice Point Inn. Des Noirs à demi nus prirent la fuite en jetant dans le restaurant en véranda les morceaux du corps, enveloppés dans les serviettes de l'hôtel.

En tout début de matinée, le *Gleaner* et l'*Evening Star* reçurent une nouvelle lettre du colonel Dred, revendiquant les meurtres commis dans les deux hôtels.

Dred annonçait également que le nombre de crimes raciaux serait multiplié par dix toutes les vingt-quatre heures, jusqu'au jour où une part des bénéfices de tous les hôtels, restaurants et autres sociétés importantes de l'île reviendrait au peuple.

Quelqu'un, au *Gleaner*, calcula que, puisqu'on comptabilisait quatre morts au 5 mai, quarante personnes au moins mourraient le 6.

Le chiffre passerait ensuite à quatre cents, puis à quatre mille...

Dimanche 6 mai 1979

Deux hôtels frappés par le terrorisme

16

Nous sommes habitués à voir les situations évoluer à un certain rythme. Question de conditionnement. Et à San Dominica, nous nous sommes attachés à casser, précisément, tous les rythmes dominants.

Carrie Rose, *Journal*

6 mai 1979, Coastown, San Dominica

Dimanche matin. Le sixième jour de la saison.

A 7 h 15, le sixième jour, Peter Macdonald franchit le seuil de la cuisine de la belle villa de Brooks Campbell, hurla : « Œufs brouillés ! » et, d'un violent crochet du droit, défonça le nez gréco-romain du bel agent de la CIA.

— Vous feriez mieux de rester à terre ! lui cria-t-il lorsqu'il tenta de se relever.

Il dégaina son Colt .44 et le pointa sur une cible imaginaire, un rond d'un centimètre de diamètre, situé juste entre les deux yeux noisette de Campbell.

— Que voulez-vous ?

— Juste la vérité, répondit calmement Peter. Je ne vais pas vous raconter tout ce qui m'est arrivé depuis la dernière fois que vous m'avez baisé, ni comment je me suis débrouillé pour dormir dans votre garage cette nuit, mais je veux savoir tout ce que vous savez sur les tueries à la machette. Je veux tout savoir de vos soi-disant secrets d'Etat.

Lentement, avec précaution, Campbell se releva.

— Il n'y a qu'un problème, dans tout ce que vous venez de me dire. J'ai beaucoup de mal à croire que vous pourriez tirer. Je sais parfaitement que vous ne le ferez pas.

La seule chose que vit Brooks Campbell fut l'énorme crosse d'acier du Colt. Elle le frappa en pleine pommette, et il s'effondra une seconde fois sur le carrelage jaune paille. Il entendit vaguement :

— Je suis prêt à vous abattre et je vous garantis que d'ici une minute, vous me croirez.

Un brodequin marron lui écrasa la poitrine, puis une main le releva, en le tirant par les cheveux. Il sentit un liquide chaud ruisseler sur le côté de son visage.

— Et maintenant, vous avez intérêt à parler, *monsieur*, parce que torturer les gens, ça, je sais faire. Vous pouvez me croire.

Campbell commença à distinguer l'un des réchauds de sa cuisinière. Le serpentin rougeoyait, et ses cheveux fumaient déjà. Le bacon en train de rissoler sur un autre réchaud lui mitraillait l'autre côté du visage.

— Je vous jure que je vais vous griller l'oreille ! hurla Macdonald, façon sergent-intructeur.

— On sait que la mafia est dans le coup ! lâcha finalement Campbell. Laissez-moi me relever. Je brûle, Macdonald !

Peter desserra légèrement son étreinte, mais pas au point de permettre à Campbell de se tenir debout.

— Je ne vois pas trop ce que vous voulez dire. La mafia... la mafia quoi ?

— Depuis des années, elle se bat pour que le parlement de l'île légalise les casinos... Et aujourd'hui, elle est bien décidée à obtenir gain de cause – sans quoi elle détruira tout. Elle fera sauter San Dominica et la passera en pertes et profits... C'est tout ce que nous savons. Je vous le jure. Macdonald, je suis en train de cramer !

Peter relâcha enfin Campbell. Ce qu'il venait d'entendre était crédible. Voilà qui pouvait expliquer une partie des événements récents.

— Et le colonel Dred, qu'a-t-il à voir là-dedans ? Avec la mafia ? Les casinos ?

L'homme de la CIA se tenait l'oreille comme si on venait de lui en arracher un morceau. Dans son kimono frappé d'un dragon or et rouge, Brooks Campbell avait l'air ridicule. Pour la première fois de sa vie.

— Nous ignorons comment les types de la mafia ont contacté Dred, et même s'ils l'ont fait, répondit-il avec beaucoup de conviction, alors que c'était encore un demi-mensonge. Apparemment, quelque chose d'important se prépare. Les lettres publiées dans les journaux sont en fait des avertissements aux députés. Il va y avoir un déferlement d'horreur. Ce que vous ne comprenez pas, c'est que nous sommes tous en train de nous démener pour que ça n'arrive pas.

— J'ai comme l'impression que vous mentez encore, fit Peter.

Il ouvrit le réfrigérateur, jeta un coup d'œil, lança quelques glaçons à Campbell pour que celui-ci les passe sur son visage tuméfié. Puis il s'empara d'un cruchon et s'offrit une longue rasade de jus d'orange.

— Bon. (Il agita son revolver de cowboy en direction de Campbell.) C'est déjà un peu mieux que notre premier entretien, je trouve. Si j'ai besoin de savoir autre chose, je reviendrai. Et ne croyez surtout pas que je sois incapable de vous descendre. Je n'hésiterais pas à le faire. D'ailleurs, vous ne me plaisez pas.

Peter ressortit à reculons, puis courut jusqu'à la moto.

Il suivit les petites rues bordées de palmiers, puis repartit, à pleins gaz, vers la forêt.

Quelles horreurs allaient s'abattre sur l'île ? La mafia pouvait-elle être réellement impliquée dans cette vague d'assassinats ? Et quel était le rôle du grand blond dans l'histoire ? Etait-ce un mercenaire ? Engagé à quelles fins ?

Cela étant, c'était tout de même bien mieux que faire le barman pour un taré de SS... Peut-être devrait-il s'orienter vers la carrière de flic, ou de détective privé, style Philip Marlowe. Dans un proche avenir...

Après son succès avec Campbell, Peter se sentait de nouveau vivant. C'était un début.

Coastown, San Dominica

Une mouette remontait Parmenter Street. Elle piqua pour mieux voir des autochtones en train d'installer leur étal de fruits de toutes les couleurs. Vira sur l'aile, à tribord, et tel un beau modèle réduit de planeur, glissa au-dessus des toits pourpres de l'hôtel Coastown Princess.

Carrie Rose était là, confortablement installée sur sa loggia, avec sa cafetière fumante, son assiette d'œufs et de poisson fumé, ses viennoiseries et son beurre doux.

Elle venait de s'attaquer à une nouvelle page de son journal à un million de dollars. Dans ce texte long et très personnel, il allait être question d'un certain après-midi d'été, à Paris. Un après-midi décisif.

10 août 1978, Paris

L'endroit s'appelait Atlantic City. C'était un petit bistrot branché de l'avenue Marceau, devenu depuis peu le point de ralliement des Américains.

Le café était déjà réputé pour ses douze recettes de hamburgers et, dans une moindre mesure, pour ses grands panneaux publicitaires en bois illustrant diverses anecdotes ayant trait à une station balnéaire peu reluisante du sud-est du New Jersey.

SAVIEZ-VOUS QUE ?

C'EST À ATLANTIC CITY QU'A EU LIEU LE PREMIER DÉFILÉ DE PÂQUES AUX ÉTATS-UNIS…

C'EST À ATLANTIC CITY QU'A ÉTÉ EXPLOITÉE LA PREMIÈRE GRANDE ROUE…

C'EST À ATLANTIC CITY QU'A ÉTÉ TOURNÉ LE PREMIER LONG MÉTRAGE DE L'HISTOIRE DU CINÉMA…

C'EST À ATLANTIC CITY QU'ONT ÉTÉ IMPRIMÉES LES PREMIÈRES CARTES POSTALES ILLUSTRÉES PAR DES PHOTOS…

Le visage à demi masqué par un grand chapeau blanc souple, Carrie Rose retourna sans se presser à l'intérieur du bar. Il n'y avait pas beaucoup de lumière. Elle entendait le juke-box qui passait « Lady Marmalade ». *Voulez-vous coucher avec moi, ce soir ?…*

Carrie entendait aussi le frou-frou de ses bas blancs. Elle poursuivit jusqu'à ce qu'elle aperçoive le fauteuil roulant. Et là, pour la première fois depuis bien longtemps, elle se rendit compte qu'elle avait peur…

— L'incomparable et tristement célèbre madame Rose, lança

Nickie Handy, au fond d'un box éclairé par une bougie. Que me vaut le plaisir d'une telle visite en ce bel et merdique après-midi ?

Carrie se glissa dans le box lambrissé et, au passage, déposa un baiser sur le crâne de Nickie. Son ex-associé. Puis, en prenant place face à son vieil ami estropié, elle ne put s'empêcher de le dévisager.

Nickie Handy, âgé de moins de trente ans, n'avait plus de joue gauche. Plus de visage, côté gauche. Il ne lui restait qu'un peu de peau flasque sous la pommette.

— Je devrais venir te voir plus souvent, lui dit-elle doucement. Damian et moi sommes des chiens. On est nuls.

Une serveuse arriva, et Carrie commanda une bouteille de pouilly-fuissé. Nickie fit une remarque au sujet de la poitrine de la Française. « Des pis de truie », murmura-t-il avec un petit rictus.

— Bon, venons-en au fait. Au fait. (Il se tourna vers Carrie.) Ne me fais pas le coup de la tournée de charité. Avec tes grands vins et tout le cinéma.

— D'accord. Je suis venue te parler de ce qui t'est arrivé. A Saigon.

Un air étonné balaya le triste visage de Quasimodo. Puis, brusquement, ses traits se tordirent comme un bretzel et Nickie Handy haussa le ton.

— Tu me regardes comme si j'étais un chat, Carrie. Ce regard dédaigneux qu'on jette aux siamois. Su-perbe ! J'adore. Salope.

— Tu es complètement parano. (Carrie lui parlait toujours à mi-voix, presque avec tendresse.) Damian et moi allons faire un boulot avec Harold Hill. Harry le Dégommeur et ton *excellent ami* Brooks Campbell. Qui veux-tu qu'on aille voir ?

Nickie Handy prit sa chope de bière et la vida sur le plancher en sapin saupoudré de sciure.

— Hé ! Hé ! Hé ! lui lança un barman, un Français à la barbe sombre. Un peu de tenue, Nickie !

Le visage de Handy se déforma une nouvelle fois. Apparemment, c'était un horrible tic.

— Brooks Campbell était censé me payer, dans cette ruelle de Saigon. Au lieu de cela, il m'a flingué en pleine tête. Bonjour, Nick. *Bam ! Bam ! Bam !...* Et il m'a laissé pour mort dans le caniveau, Carrie. J'ai vu une souris crevée, une souris viet, flotter devant moi. J'ai cru que j'étais déjà en enfer. Dans le caniveau, la gueule éclatée, comme aujourd'hui. Tes nouveaux associés, tu disais ?

— Ils ont fait ça sans qu'il y ait eu provocation, Nickie ? Tu ne leur as pas piqué une affaire ? Ils t'ont purement et simplement doublé ?

— Ils m'ont doublé en beauté. Moi, et un autre pauvre chinetoque. Je crois qu'il a même touché mon pognon. Cet enculé de Brooks Campbell, avec sa belle gueule de jeune premier.

— Ce sont vraiment des salopards, Nickie.

— Tes associés, répéta Nickie. J'adore ! J'adore !

Ils continuèrent à boire. Après cinq heures, d'autres Américains commencèrent à envahir les lieux. D'abord des cadres, puis des touristes et des hippies avec sacs à dos venus de l'Etoile, toute proche. Une demi-heure plus tard, il était devenu impossible de tenir une conversation normale à l'intérieur du bistrot.

Carrie parla de cigarettes et plongea la main dans son sac. Puis elle se pencha au-dessus de la table et abattit Nickie Handy. Deux petits *pschitt* que personne n'entendit dans le brouhaha ambiant. Deux balles en plein cœur, tirées rapidement parce qu'elle ne voulait pas qu'il souffre.

Nickie s'était écroulé sur la table au bois raviné comme un gentil petit poivrot.

Carrie se fraya un chemin jusqu'à la sortie, l'esprit en ébullition. Elle venait de commettre ce meurtre pour deux bonnes raisons.

Premièrement, le malheureux Nickie était l'une des rares personnes encore susceptibles de les identifier, elle et Damian. Deuxièmement, elle avait toujours eu beaucoup trop d'affection pour lui. Elle ne pouvait pas le laisser vivre comme ça, et sombrer dans la déchéance.

Encore un peu sonnée par le vacarme du bar, elle traversa l'avenue Marceau. Une marée de Renault et de Simca. Les flics qui sifflaient. Elle remonta une petite rue. Ses semelles à talons compensés claquaient sur le trottoir, et la soie blanche de ses bas chantait.

Elle enleva son bonnet blanc, le lança par-dessus une grille, puis retira ses inconfortables chaussures, et enfila les mocassins noirs qu'elle avait mis dans son sac à main.

Avenue Montaigne, elle retrouva Damian. Ils s'étreignirent un long moment puis, bras dessus, bras dessous, les deux jolis tourtereaux traversèrent la Seine aux eaux lentes et boueuses.

Et presque aussitôt, ils commencèrent à se préparer à être doublés.

17

Ce que nous voulions avant tout, c'était créer à San Dominica la confusion la plus totale. Donner l'impression que nous pouvions faire la pluie et le beau temps, couper la lumière quand nous le voulions. Ce qui n'était pas censé être dangereux le devenait brusquement... Et surtout, il ne fallait pas qu'on puisse deviner une quelconque stratégie, une quelconque logique.

Carrie Rose, *Journal*

Wylde's Falls, San Dominica

Entre sept heures du matin et la fin d'après-midi, ce dimanche-là, San Dominica vécut comme elle vivait depuis près d'un millier d'années. Plus de cent cinquante merveilleuses plages de sable blanc, un ciel d'azur d'une extraordinaire limpidité, à rendre honteux n'importe quel ciel métropolitain, et un soleil infatigable.

Et puisqu'il ne se passait rien de terrifiant, les Américains et les Européens encore présents prirent le temps de se détendre et de réfléchir à tout ce qui venait de se produire. Et les soixante et un membres du parlement purent, quant à eux, méditer sur leur avenir sombre et incertain.

A quatre heures de l'après-midi, le colonel Dassie Dred s'apprêta à devenir célèbre dans le monde entier.

Du sommet des Wylde's Falls – classées en seconde position dans la hiérarchie des chutes les plus hautes et les plus belles des

Caraïbes –, il apercevait un jeune Noir aux pieds nus et un couple de Blancs. Des touristes qui faisaient le fameux circuit des cascades, accompagnés d'un guide.

Ils s'ébattaient dans les magnifiques vasques noires, se jetaient sous les chutes, s'interpellaient dans le fracas des eaux bleutées, s'immobilisaient de temps à autre pour prendre une photo embrumée.

Quand le jeune guide contourna enfin le rocher situé juste sous l'endroit où il s'était dissimulé, Dred sortit le bras au milieu des buissons. Le gamin se laissa soulever sans résistance ; le couple de Blancs leva les yeux et découvrit le visage grimaçant du révolutionnaire.

— Rentre chez toi, dit Dred au garçon. Et te retourne pas.

Tandis qu'il prononçait ces mots, deux de ses hommes jaillirent des bananiers pour se jeter dans le bassin aux eaux presque effervescentes. L'un d'eux faisait tournoyer un coupe-coupe comme s'il s'agissait d'une batte de base-ball.

La longue lame frappa une femme d'une trentaine d'années à travers son beau chemisier *Town & Country*. Fauchée en plein hurlement, la malheureuse se plia en deux avant de tomber à genoux.

Le deuxième soldat, plus puissant, abattit son arme de haut en bas. Le mari de la jeune femme, un blond aux allures de banquier, demeura un instant immobile avant de se séparer en deux au niveau des épaules et de basculer par-dessus les Wylde's Falls.

Tout en bas, à l'entrée du parc, une poignée de touristes et de guides désœuvrés regardait les derniers grimpeurs de la journée redescendre les chutes – un exercice passablement périlleux. Tandis qu'ils observaient deux couples et leurs guides, un corps – on aurait dit celui d'une nageuse – franchit tête la première un coude du torrent, disparut, puis bascula sur une plaque lisse avant de rester coincé, en travers, contre un éperon rocheux, projetant en l'air un jet d'écume.

Puis apparut un homme coupé en deux comme une paire de ciseaux cassée. Le cadavre contourna sans encombre la pointe rocheuse, franchit plusieurs petites chutes en rebondissant sur le roc, passa devant des touristes épouvantés, à l'entrée du parc, puis disparut dans l'océan, sans un bruit.

Le colonel Dred venait officiellement d'effectuer son premier raid à la machette. Et cette attaque soigneusement préparée était sans nul doute la plus réussie.

Dred était prêt.

Trelawney, San Dominica

Dimanche soir

Devant lui, il y avait un plat de riz, un riz gras, brun, collant. Des lambeaux de cabri grisâtres. Des morceaux de coquillages ou de crustacés qui n'étaient ni de la laugouste, ni du crabe, ni de la crevette, pas vraiment mangeables.

Peter Macdonald crut voir une petite pince noire émerger du brouet et tourner en rond. Il l'avala. Soixante *cents* le repas, thé vert compris, c'était une affaire.

Son dîner dominical achevé, Macdonald s'attarda au fond du boui-boui local. Il fuma deux cigarettes en prenant tout son temps. Dut se passer vingt ou trente fois la main dans les cheveux en cinq minutes, par pure nervosité.

Il pensait à un nanar qu'il avait vu un jour. Un type, interprété par un bellâtre, s'était rendu à la rédaction du *New York Times* pour se sortir d'une situation impossible. Il était allé au *Times* comme d'autres seraient allés voir la police, et tout s'était aussitôt arrangé. Le type était tiré d'affaire.

On voyait le générique de fin défiler sur le sourire radieux et figé du héros, pendant que retentissait l'hymne américain. Et les spectateurs étaient rentrés chez eux, béats.

Divagations d'un homme en train de sombrer.

Car que pouvait-il raconter, lui, au *New York Times* ? Que pouvait-il dire à qui que ce soit ? Qu'il avait vu ce grand blond, cet Anglais – enfin, peut-être – dans les parages au moment de *l'une* des tueries à la machette ? Qu'il avait mis la tête d'un représentant du Département d'Etat sur une plaque électrique, et que le type avait hurlé que la mafia était dans le coup ?

Il s'aperçut soudain que la serveuse et le cuisinier du restaurant s'étaient matérialisés à côté de lui. Une petite Black au visage lunaire qui avait passé toute la soirée à voleter dans la salle. Table… table… fenêtre… cuisinière… table… fenêtre. Un vrai papillon de nuit.

Et personne pour la libérer… table.

— Elle vous plaît, la langouste ?

Ce qu'on pouvait grossièrement traduire par : vous êtes fou de venir manger ici. Soyez gentil, laissez-moi sortir. Je suis un papillon de nuit.

L'image fit sourire Peter. Il y avait aussi quelque chose dans le regard de cette fille.

— C'était bon, lui dit-il. Meilleur que dans les grands hôtels.

Des mots dont la serveuse se souvint quand la police l'interrogea. Elle déclara que le jeune Américain avait quitté le restaurant vers neuf heures. Qu'elle l'avait vu enfourcher une moto.

La police lui dit qu'à la suite des meurtres, l'Américain était devenu un peu fou. Qu'elle voulait simplement l'interroger. Rien de grave.

Coastown, San Dominica

Tandis que la police interrogeait le personnel du restaurant Trelawney, presque au même instant, quatre hommes en costume de soie sauvage, qui ressemblaient à des banquiers de Park Avenue, prirent place à table sur une belle terrasse, dans une immense propriété située à Coastown même.

Il s'agissait du Premier ministre de San Dominica, Joe Walthey ; du représentant de la Great Western Air Transport, Brooks Campbell ; d'Isadore Goldman, de la famille Forlenza, et d'un jeune homme aux allures de surfeur, du nom de Duane Nicholson.

On leur servit des huîtres de Chincoteagues, puis de l'agneau farci *en ballon*, avec du céleri au beurre et du maïs, accompagnés d'un montrachet. Et en dessert, de somptueuses îles flottantes.

C'était un dîner délicieux, des plus civilisés.

De temps à autre, les hôtes regardaient la maîtresse du Premier ministre muscler ses longues jambes dans la piscine au fond bleu, juste devant la terrasse.

De temps à autre, Izzie Goldman tentait d'expliquer les réalités de la vie et de la mort à ses trois voisins, en laissant flotter sa main maigre et tavelée.

— J'ai soixante-quatorze ans, dit-il lentement, pour que chacun puisse se concentrer sur ses paroles. Je ne comprends pas pourquoi vous me posez toutes ces questions scolaires sur les Rose. (Soupir.) Pourquoi ne les laissez-vous pas faire leur boulot ? Payez-les et oubliez-les.

— Parce qu'ils représentent un risque, lui répondit Brooks Campbell. Parce que j'ai des ordres venus d'en haut, de tout en haut.

Le vieil homme mordilla son morceau d'agneau. Mastiqua.

— Ils sont trop intelligents pour parler. Je ne comprends pas pourquoi tout le monde veut absolument que cette histoire tourne à la catastrophe et se transforme en baie des Cochons.

— Il ne s'agit pas vraiment de la libération de Cuba, là. (Campbell pointa le doigt sur Goldman.) Qui plus est, je pense que Rose a pété les plombs. On n'a jamais vu des plans pareils. Quelques meurtres, oui. Des massacres, non.

Le Premier ministre de San Dominica chassa une mouche qui s'intéressait de trop près à son verre de vin.

Joseph Walthey, José pour les intimes, était un petit homme trapu, noir, âgé de quarante et un ans. Un démagogue, un dictateur potentiel. Petite moustache bien dessinée, nez épaté, visage à la peau grêlée, bosselée.

— Juste pour le plaisir de la conversation, dit-il – avec, dans la voix, une douce et très diplomatique inflexion –, pourquoi ne répondriez-vous pas à certaines de nos questions, monsieur Goldman ? En quoi le fait de débarrasser le monde de ces deux tueurs pourrait-il nous être préjudiciable, par exemple ?

Le vieux se renfonça encore davantage dans le grand fauteuil d'osier, comme s'il allait y disparaître, englouti. Son costume gris bombait horriblement autour de la cravate marron couverte de flamants roses.

Quand la petite amie du Premier ministre piqua une fois de plus une tête dans la piscine, Izzie Goldman se remémora un vieux couplet assez spécial.

Houba, houba, hey, hey
T'as tout ce qu'il faut, ma poupée
Sacrée gueule, sacrées fesses !
Ah, si t'étais pas une négresse !

Ah, le vaudeville. Faites que ça revienne ! S'il vous plaît ! Et vite !

Il regarda Brooks Campbell.

— Au-delà des problèmes qui ont pu se présenter, je ne pense pas que vous réussissiez à les coincer. Laissez-les rentrer en France, monsieur Campbell. Monsieur le Premier ministre. Que tout cela s'arrête après-demain. Faites-moi confiance.

A sa gauche, Duane Nicholson secouait sa cigarette. Les cendres tombaient dans l'assiette vide.

— Non, nous voulons que les Rose disparaissent, répéta Brooks Campbell. C'est notre position.

Isadore Goldman regarda Nicholson, le beach boy, avant de répondre.

— Il faudrait forcer les gens qui mettent leurs cendres dans leur assiette à manger dans leur cendrier.

Et ce fut le dernier commentaire du vieil homme sur le fiasco.

Trelawney, San Dominica

Peu après neuf heures, après avoir dissimulé la moto dans d'épais fourrés, Peter Macdonald entra dans la gare routière de Trelawney.

Un petit local sombre qui puait comme si une armée entière y était venue uriner et s'épouiller.

Peter examina les horaires des cars à destination de Port Gerry, sur l'autre côte. Là-bas, il pensait connaître un moyen de quitter l'île sans encombre. De trouver de l'aide. La question était de savoir s'il valait mieux y aller vite, en moto, ou discrètement, en bus.

Les types qui traînaient autour de la gare ne semblaient pas faire attention à lui, ce qui était plutôt rassurant.

Il se laissa tomber sur l'un des grands bancs gris. Aperçut la manchette d'un journal froissé, à côté de lui. DEUX NOUVEAUX MEURTRES SIGNÉS DRED.

Il était presque 21 h 15... et Jane commençait à lui manquer terriblement. Il avait presque oublié ce que c'était qu'être seul.

En face de lui, il y avait un immense tableau noir, de deux mètres sur trois, destiné à recueillir les messages et les doléances des habitants de la bourgade. Le texte semblait avoir été écrit par une main d'enfant.

MAINTENANT QUE LES RÉSULTATS DES ÉLECTIONS DANS TOUTES LES CARAÏBES SE SONT RÉVÉLÉS VICTORIEUX POUR LES SOCIALISTES, ET QUE JOE EST GRAVEMENT MALADE, JE CROIS QUE NOUS DEVRIONS BIEN RÉFLÉCHIR AUX PROCHAINES ÉLECTIONS.

L'ATTITUDE DE PLAY-BOY DE JOE EST INDIGNE D'UN DIRIGEANT. LE PROFESSEUR SAM N'A QUE QUATRE ANS DE SCOLARITÉ (VOUS POUVEZ REGARDER LES REGISTRES DE L'ÉCOLE BAINTY, À COASTOWN) ALORS QUE MOI, COMME VOUS SAVEZ, JE SUIS DIPLÔMÉ DE L'UNIVERSITÉ DES CARAÏBES.

CEUX D'ENTRE VOUS QUI VOTENT POUR « JOE » VOTENT POUR :

PLUS DE POUVOIR AUX ÉTRANGERS, LA CIA, LA HAUSSE DES PRIX, DES BAS SALAIRES, PLUS DE POUVOIR AUX ÉTRANGERS, L'INSÉCURITÉ À CAUSE DU COLONEL DRED, PAS DE CONTRÔLE DES PRIX, DES MAUVAISES CONDITIONS SANITAIRES – AVEC DES PRODUITS ÉTALÉS PAR TERRE, LÀ OÙ ON MARCHE, ON CRACHE, ETC. VENDUS APRÈS AUX CONSOMMATEURS. PLUS DE POUVOIR AUX ÉTRANGERS. MÊME DRED LUI-MÊME SERAIT MIEUX QUE LE VIEUX « JOE ».

TOMMY (THOMAS WYASS)

Macdonald, le grand spécialiste des panneaux et pancartes. Qui cherchait son chemin ? Des indices ? Plus de pouvoir aux étrangers. Le Premier ministre Joe Walthey. Deux nouveaux meurtres signés Dred.

Il lisait : INTERDIT DANS CE TERMINAL : FUMER, CRIER, LES OBSCÉNITÉS, DÉCORTIQUER DES CACAHUÈTES, MANGER LES CHEWING-GUMS. MERCI. TOMMY.

Peter s'imaginait en train de mâcher un chewing-gum, de fumer et de hurler des obscénités. Il se réfugia dans la pénombe d'une vieille cabine de téléphone en bois pour mâcher et fumer tranquillement ce qu'il lui restait de cervelle.

Il s'interrogea. Où passer la nuit ? A Port Gerry ? Dans la forêt, encore une fois ?... Aux Etats-Unis, on ne prenait pas de cours de survie. Pas même à l'armée. L'armée ne s'occupait que de sa propre survie.

Finalement, en dépit de toutes ses résolutions, il décida d'appeler Jane.

Il téléphona d'abord à ses amis, à Coastown. On lui répondit qu'elle était partie. Jane était retournée à l'hôtel. Merde, merde, merde.

Peter appela Turtle Bay. Le 90. Plantation Inn. Standardiste.

— Cottage quatorze, s'il vous plaît... Jane, c'est moi, Peter. J'essaie de t'avoir depuis ce matin, à Coastown.

— Oh, Peter ! Où es-tu ?

Bref silence.

— Je veux que tu rentres aux Etats-Unis, répondit-il enfin. Vois avec Westerhuis s'il peut te trouver un vol... Janie ?

— M'emmerde pas avec ça, Macdonald ! Dis-moi où tu es. Calme-toi, Peter.

Peter s'autorisa un sourire. Jane n'avait pas changé. Il renonça au ton mélodramatique, expliqua où il avait passé la journée. Ce qu'ils devaient à présent faire et ne pas faire. Et lorsqu'il eut fini de parler de lui, Jane lui révéla enfin qu'elle avait vu l'Anglais, le grand blond.

— Il était là, Peter.

Petit coup de tonnerre. *Il était là.*

— Je l'ai vu cet après-midi. Je crois… c'était lui, forcément. Blond, très grand…

Peter l'interrompit, comme s'il était au combat, comme s'il venait de prendre un commandement, attendant qu'on exécute ses ordres.

— Je veux que tu verrouilles immédiatement toutes les portes, que tu fermes toutes les fenêtres, Jane.

— Tout est déjà bouclé. Viens me chercher.

Il essaya de se représenter la pièce. Le cottage lui-même. Tenta d'imaginer comment attaquer l'endroit. Comment le défendre.

— Bon, c'est bien. Maintenant, éteins toutes les lumières. Tout de suite.

— D'accord ! D'accord !

Il entendit Jane poser le combiné.

Le type était donc venu. Il s'était pointé à l'hôtel comme s'il jouissait d'une sorte d'immunité diplomatique. Il avait un culot monstre, en tout cas.

Soudain, Peter eut comme une vision. L'Anglais avec sa longue silhouette, sur les hauteurs de Turtle Bay, quatre jours plus tôt. Comme s'il était chez lui. Comme si le monde entier lui appartenait.

Jane avait repris le téléphone. Elle ne parlait plus, elle chuchotait.

— Il fait nuit noire. J'aperçois un couple qui marche sur la plage. Oh, Peter, j'angoisse tellement que j'ai du mal à croire que tout ça est vraiment en train d'arriver.

— Si ça peut te rassurer, je serai bientôt là.

Turtle Bay, San Dominica

A l'extérieur du cottage numéro 14, quelque chose faisait *boum*.

Boum, boum… boum, boum, boum.

Le bruit s'arrêta brusquement, et dans l'obscurité de la chambre, Jane Cooke se figea, morte de peur. Elle reprit son souffle, puis essaya d'identifier le bruit.

Les fruits du jambosier. Elle résolut enfin le petit mystère. C'était le bruit des baies dégringolant sur le toit du bungalow.

Jane se rendit compte qu'elle n'avait plus les idées très claires. Il fallait qu'elle se ressaisisse.

Une main qui glisse le long du mur, une main, puis la joue et les longues mèches de cheveux. Les doigts qui parcourent à tâtons le papier peint posé n'importe comment. Des rides. Des poches d'air. Puis le mur qui s'arrête... l'encadrement de la porte... le carrelage rugueux de la salle de bains.

Elle se mit le visage sous le robinet. S'aspergea. But un peu d'eau au goût de rouille. Abaissa l'abattant des W.-C. et s'assit. Sortit de sa poche un paquet de cigarettes. Baissa la tête et devina un livre, par terre. *Les Hommes du Président*. Le livre des toilettes.

Elle fuma trois cigarettes. Entendit un autre petit bruit... des insectes qui se cognaient contre la vitre. *Whouf !* Comme un coup de poing au creux de l'estomac. Elle décida de se déplacer pour pouvoir au moins surveiller le devant du cottage.

Sur la grande baie vitrée passait un film en noir et blanc d'une extraordinaire netteté.

Plus de couple en balade sur la plage... des nuages décharnés, flous, violacés, éraflaient la pleine lune. De vieux nuages nocturnes, tout flétris. Le ressac qui traçait devant la crique une couronne de crème fouettée.

Jane se fit la réflexion que tout allait bien, jusqu'à ce que Peter appelle...

Ils étaient nombreux, à l'avoir reluquée, aux alentours de l'hôtel. Même des grands blonds. Même des grands blonds susceptibles d'avoir l'air anglais...

Elle, la brave fille originaire de la capitale du Dakota-du-Sud... Et son petit copain qui, accidentellement, assiste à un meurtre. L'espace de dix secondes, au grand maximum ! Un vrai Hitchcock... bien macabre, bien morbide, comme *Frenzy*, mais un dénouement heureux. Ingrid Bergman et Cary Grant trinquent, boivent une gorgée de champagne, et puis s'embrassent.

Elle pensait toujours au grand blond anglais. Le Grand Blond Anglais. Ses mains tremblaient. C'était drôle... enfin, curieux. Il prenait un verre, tout seul, à la terrasse du Pineapple Bar. Air sérieux, belle gueule, bien bronzé. Lunettes de soleil noires enveloppantes, qui évoquaient un peu la Méditerranée. Elle avait eu l'impression qu'il l' observait pendant qu'elle donnait des conseils à une petite fille qui se plaignait d'avoir de l'eau dans l'oreille. « D'abord, tu sautes sur un pied, le pied opposé. Tu vois, comme ça. Ensuite, tu donnes un coup sur le côté de ta tête. Un bon coup... »

Après, le grand blond l'avait suivie, elle en était sûre. Il ne l'avait jamais perdue de vue. Enfin, apparemment...

Jane regarda sa montre digitale, dont les chiffres rouges perçaient l'obscurité de la pièce. 22:43. Une heure et dix minutes s'étaient écoulées depuis le coup de fil de Peter. En temps normal, le trajet depuis Coastown prenait environ une heure. Depuis Trelawney, il fallait compter cinq minutes de plus.

Toujours plantée derrière la vitre, elle entendit une nouvelle rafale de baies mitrailler le toit. Ces fichus fruits, même pas comestibles...

Puis un bruit de pas.

Puis une jeune femme qui l'appelait, devant la porte...

Et là, l'une des fenêtres aux volets fermés commença à céder sous les coups d'un objet lourd et tranchant qui aurait pu être une hache.

Lundi 7 mai 1979

Massacre à Elizabeth's Fancy

18

La préparation est généralement intéressante. Les dernières journées, les dernières heures sont intéressantes. Mais le point culminant se révèle souvent décevant. Au moment des meurtres, la tension est déjà retombée. Sauf pour les victimes, bien entendu.

Carrie Rose, *Journal*

7 mai 1979, Mandeville, San Dominica

Lundi matin. Le septième jour de la saison.

Le septième jour, à 4 heures du matin, Jane ouvrit brusquement les yeux.

Au début, elle ne vit rien. Puis elle distingua la longue silhouette d'un homme assis près du lit. Et des images rémanentes d'inconnus qui couraient, armés de machettes. Ensuite, elle vit une femme, grande, qui lui parlait avec beaucoup de douceur, comme si elle était sa meilleure amie.

Lorsqu'elle se mit à hurler, il y eut un déclic et une lampe s'alluma. Une lampe brillante, en aluminium, fixée au mur. L'homme assis sous la lampe était le chef de la police. Il avait une petite pipe noire fichée dans la bouche. Son revolver pendait au-dessus de sa chemisette blanche, dans un holster.

— Chhhhhhut... vous êtes à l'hôpital de Mandeville, chuchota-t-il à la jeune femme. Vous ne risquez plus rien. Tout va bien.

Un sourire, un clin d'œil, et le Noir coupa la lumière.

Jane, dans le noir, tremblait de tout son corps. Elle se mit à claquer des dents, puis à sangloter. Pensa à Peter. Se recroquevilla sur elle-même.

— Que se passe-t-il ?

Avait-elle prononcé ces mots, les avait-elle simplement pensés ? Agitée de tremblements, en larmes, elle referma les bras sur sa poitrine. C'était trop horrible.

Puis elle se rendormit.

Dans ses rêves, ils venaient la chercher à l'hôpital. Les deux Noirs. Le grand blond avec les grosses lunettes noires. La jeune femme… Ils n'arrêtaient pas de hurler, lui demandaient de dire où se trouvait Peter… « Je ne sais pas ! Je ne sais pas ! Ne me faites pas de mal, je vous en supplie ! »

L'imposant chef de la police la regarda en souriant, posa l'index sur ses lèvres. Ralluma le foyer de sa pipe noire.

— *Chhhhut*, fit le Dr Johnson. Plus personne ne vous fera de mal, maintenant.

Alors que la pire journée de la saison des machettes venait de commencer…

Cape John, San Dominica

Lundi après-midi

Tel un cerf-volant blanc, une mouette jouait avec le vent, loin au-dessus de sa tête.

Aaaaa ! Aaaaa ! Aaaaa !

Damian se dorait au soleil, un beau soleil de midi, crémeux à souhait. Un calme merveilleux était en train de le gagner. Carrie et lui allaient bientôt franchir un seuil capital. La dernière vague de terreur.

Ah, rien de tel que les rayons du soleil pour vous aider à peaufiner un projet…

Il sentait l'eau salée sécher sur son visage et ses jambes. Il avait l'impression de rôtir. Une sensation plutôt amusante.

Pour la cinq centième fois, peut-être, Damian passa en revue les derniers détails.

Le massacre.

Le départ de Carrie, en toute discrétion, puis le sien.

Pas de coup fourré style Nickie Handy, cette fois. Pas de rencontre avec Brooks Campbell ou Harold Hill dans une ruelle déserte, de nuit. Il ne lui restait plus qu'à déposer un bel appât pour la Great Western Air Transport. Un bout de fromage pour le roi des rats, Brooks Campbell.

Puis vérifier que la dernière pièce du jeu – un redoutable tueur du nom de Clive Lawson – était bien en place pour le coup décisif.

Ensuite, retour au bercail. Et à lui la belle vie…

Mandeville, San Dominica

A treize heures, un homme en blouson de toile, chapeau blanc sur le crâne, respira à fond avant de s'approcher d'une vieille dame coiffée d'un calot de la Croix-Rouge, à l'accueil de l'hôpital de Mandeville.

— Je m'appelle Max Westerhuis, annonça-t-il d'un ton impatient et suffisant. On m'a dit que je devais me présenter à ce bureau pour obtenir un laissez-passer. Je voudrais voir Mlle Cooke.

L'infirmière fouilla dans son tiroir, sortit un bloc, vérifia la liste des visiteurs autorisés à rendre visite aux patients. Pour Mlle J. Cooke, chambre 206, il n'y avait qu'un seul nom.

L'infirmière établit un bon de visite au nom de Maximilian Westerhuis, directeur du Plantation Inn.

Quand le policier posté devant la chambre 206 lui ouvrit la porte, l'homme au chapeau blanc mit un doigt sur ses lèvres et dit, avec le même ton sentencieux :

— Mademoiselle Cooke.

— Peter, murmura Jane dès qu'il eut refermé la porte.

Il la trouva extrêmement pâle, très secouée. Elle avait le cou et les bras bandés, et il y avait une perfusion au-dessus du lit.

Il la prit dans ses bras et ils se blottirent l'un contre l'autre en se disant des choses qui auraient dû être dites depuis bien longtemps, en osant enfin exprimer librement tous leurs sentiments.

Et lorsqu'enfin ils se séparèrent, Jane commença à lui parler des trois personnes qui étaient venues au bungalow. Qui voulaient savoir où il se cachait. Qui avaient tout essayé pour la contraindre à avouer… Peter, lui, parla de sa visite-surprise à Brooks Campbell. De la filière mafieuse. De la conflagration qui allait sans doute secouer toute l'île.

— Bon, que fait-on maintenant ?

— Pour commencer, je veux te sortir de cet hosto. Les flics d'opérette qui sont ici ne m'inspirent pas confiance. Tu as vu avec quelle facilité je suis entré.

— Peter, s'ils cherchaient à m'avoir, ils m'ont eue sous la main hier soir. Tout ce qui les intéressait, c'était de savoir où tu te trouvais.

— Il y a quelque chose qui ne colle pas. Si tu as vu le type hier, normalement, ils devraient t'avoir également dans le collimateur. Logique, non ? Je commence à ne plus très bien comprendre…

Il s'assit au bord du lit, les épaules basses, les muscles de la nuque noués.

— Peter, ce jour-là, as-tu vu autre chose, à part le grand blond ?

— Je ne sais pas, je ne crois pas. La seule solution qui me vienne à l'esprit, c'est que nous quittions tous les deux San Dominica. Je voudrais tenter ma chance à Washington. (Il regarda Jane.) Tu veux bien me retrouver là-bas ? Dans un ou deux jours. Il y a un hôtel, à Washington, qui s'appelle le Hay-Adams. Juste en face de la Maison Blanche.

Pour la première fois, Jane tenta de sourire.

— Très bien. Comme ça, on pourra s'adresser directement aux grands patrons. Ça ne pourra pas être pire qu'à l'ambassade américaine, hein ? (Elle l'embrassa vigoureusement, malgré son état, puis posa la tête sur son épaule.) Max chéri.

— Quelqu'un finira par nous écouter. Tout le monde ne peut pas être pourri à ce point.

Jane sourit de nouveau.

— Maximilian Westerhuis. Tu fais fort, Peter.

Ils étouffèrent leurs rires pour ne pas alerter le policier en faction, puis se prirent dans les bras une nouvelle fois en se promettant de se revoir à Washington avant jeudi. Peter quitta l'hôpital comme il était venu.

Avec beaucoup, beaucoup trop de facilité.

Coastown, San Dominica

Pendant ce temps, à l'hôtel Princess, Carrie avait ouvert les portes blanches de sa loggia pour profiter d'un soleil radieux, d'une douce brise et des luxuriants parfums du jardin tropical.

Devant le miroir du dressing, elle examinait sa nouvelle tête. Elle était assez réussie, même si elle ne lui plaisait pas beaucoup. Un peu tape-à-l'œil, juste ce qu'il fallait, avec des vrais-faux cils. Chaque détail avait été soigneusement étudié, jusqu'aux chaussons argentés.

Carrie regarda sa montre. Si tout se passait bien, elle serait à Washington dans six heures. Il lui suffisait de sortir discrètement du pays, en évitant la police, la CIA et la moitié de l'armée san dominicaine.

A 13 h 30 pile, Carrie Rose partit pour l'aéroport Robert Kennedy en croisant les doigts. Et lorsqu'elle pénétra à l'intérieur du terminal, elle comprit qu'elle s'était inquiétée pour rien.

Ainsi grimée, elle ressemblait à n'importe quelle autre touriste.

A 14 h 30, Carrie Rose s'envola vers les Etats-Unis à bord d'un avion de la PanAm.

Lorsqu'il entendit le bulletin d'informations de trois heures d'une radio de Porto Rico grésiller sur un petit poste, Damian commença à rassembler ses affaires. Il passa une chemise de coton blanc, coiffa son crâne d'un bob assorti et mit des lunettes noires.

Dix minutes plus tard, il entra dans un café en plein air, un boui-boui sur pilotis – des pattes de pélican maigres et encroûtées – qui faisait face à la plage de Cape John.

Il appela l'ambassade des Etats-Unis depuis le téléphone à pièces.

Accueil.

Secrétaire. Un homme.

Attente.

15 h 17.

15 h 21. Il commençait à perdre patience.

— Bonjour, Campbell au téléphone, entendit-il enfin.

— Ecoutez-moi bien et ne dites pas un mot avant que j'aie fini... Dans cinquante-quatre minutes, à 16 h 15, le colonel Dred va lancer sa première attaque d'envergure. Ce sera le *dernier* acte de l'opération que nous vous avons montée...

— Rose !...

— Fermez-la ! Nous avons de bonnes raisons de penser qu'après cela, vous essaierez de nous empêcher de quitter San Dominica. Si vous le faites, je vous tuerai. Je vous le promets, Campbell. En souvenir du pauvre Nickie Handy, connard.

— Rose.

Clic.

— Mais à quoi jouez-vous, putain de merde ? s'écria Brooks Campbell, alors qu'il n'y avait déjà plus personne au bout du fil.

Peu après avoir reçu cet appel, Campbell contacta Harold Hill à Washington.

— Ça va chier, ici, lui dit-il. Je vais avoir besoin d'un sérieux coup de main, Harry, mais je crois que j'obtiendrai ce qu'il me faut.

— Moi aussi, lui répondit Harry le Dégommeur. Sans aucun doute.

Clic.

A 17 h 50, ne sachant plus que faire ni que croire, Peter Macdonald appela l'ambassade américaine en demandant à parler à Campbell. Un Américain au ton très administratif lui apprit que M. Campbell était absent pour la journée, et que les ressortissants américains étaient priés de rester chez eux.

Il y avait eu un massacre.

Clic.

Elizabeth's Fancy, San Dominica

Tyndall's Goat Road était la route d'accès d'une plantation de canne à sucre, une exploitation du XIXe siècle qui avait été restaurée, Elizabeth's Fancy. Et quand Elizabeth's Fancy fermait, à 16 heures, chaque après-midi, elle ne menait plus nulle part.

Le dernier bus en provenance de la plantation ramenait les groupes de touristes à leurs hôtels respectifs. La responsable de la billetterie, patronne du site et gérante de la buvette, quarante-deux ans, originaire de Liverpool, en Angleterre, et trois vigiles de la société Tanner Men étaient également du voyage.

Le bus – un bus à impériale rouge vif et noir sorti des usines Rolls-Royce en 1953 – portait le surnom de Sauterelle.

La Sauterelle, dont la vitesse maximale n'excédait pas 72 km/h et qui souffrait d'un problème d'alignement des amortisseurs, donnait l'impression de sautiller sur la chaussée déformée. Et comme l'étage dominait largement la brousse environnante, on pouvait le voir à huit kilomètres.

En cet instant précis, toutefois, des yeux l'observaient à moins de trois kilomètres de distance.

Les trois Noirs postés au bord de la route brandissaient tous des fusils, de redoutables M-16 fabriqués à Detroit, dans le Michigan.

Juste derrière eux se tenait alignée une cohorte d'adolescents armés de coupe-coupe bien affûtés.

— Vous pensez quoi, du M-16, par rapport à un vieux M-14 ? demandait le colonel Dred à l'Africain.

Le regard de Kingfish Toone resta rivé à la piste. Le Cubain, à côté de lui, piaffait littéralement comme un cheval rétif ou énervé. Il avait hâte d'abattre Dred.

— Il n'y a pas de comparaison possible, fit enfin la voix grave de l'Africain. La balle du M-16 a trois fois plus de puissance, à l'impact, que celle d'un fusil conventionnel. Elle peut traverser cinq hommes. (Le mercenaire sortit de la poche de sa chemise une cartouche argentée et la tint, dans le sens de la longueur, entre ses gros doigts noirs comme de la houille.) Encore un nouveau gadget de militaire. Inventé par les Américains, je présume. L'étui est plastifié. Pas de traces. Les empreintes sont impossibles à détecter aux rayons X. C'est vraiment diabolique. Je vous assure, colonel Dred.

— Et combien ils coûtent ? demanda le guérillero. Les fusils, quoi. Pas vos cartouches, là. Vos balles diaboliques.

Toone haussa les épaules.

— Les prix, c'est pas tellement mon domaine. Peut-être cinq cents dollars pièce.

Dred poussa un hurlement avant d'éclater de rire. Puis il passa ses troupes en revue, une dernière fois.

Dans un coin de sa tête, il savourait la perspective de devenir, d'ici quelques heures, plus important que le Che, et peut-être même que Fidel Castro. Une sorte d'Arafat noir… tenant en otage, en guise de pétrole, le soleil.

Le chauffeur du bus rouge, Franklin James, quarante-neuf ans, transpirait. Tout son corps le démangeait. Et d'une manière générale, il n'était pas content, en cet après-midi particulièrement poisseux. Son vieux bus à impériale bringuebalait sur la route défoncée et lui, il avait l'impression de sentir la moindre bosse, le moindre nid-de-poule dans le pommeau noir du levier de vitesse qui tressautait dans sa main.

C'est quoi, le problème ? se disait James. T'en as marre, de conduire ce bus folklo ? Tu gagnes trop facilement ta vie, hein, mec, au lieu de te casser le cul comme un nègre ? Admets-le, mec, tu te la coules douce. Admets-le, Franklin, c'est vrai…

Et pour rompre, une fois au moins, la monotonie de son quotidien, le chauffeur décida de faire quelque chose d'extraordinaire : à la patte d'oie, quatre cents mètres plus loin, il tournerait à gauche au lieu de tourner à droite. Aujourd'hui, il prendrait la route touristique au lieu de suivre Tyndall's Goat Road. Il passerait au milieu des anciens champs de canne à sucre.

Franklin James jeta un coup d'œil dans son rétroviseur. Des chapeaux de paille, des visages écarlates. Une belle petite salope blonde en débardeur jouait avec les bretelles de son soutif. Et cette fois-ci, il y avait quelques places libres. Incroyable.

A la patte d'oie, le chauffeur tourna donc à gauche, et aussitôt, la directrice de la plantation, cramoisie, se précipita à l'avant du bus.

— Vous vous êtes trompé, espèce d'imbécile ! Faites demi-tour. Reprenez la bonne route !

Ce que Franklin James fit avec un sourire plus que servile et sans un mot de protestation. Admets-le, mec, tu te la joues cool.

La plupart des hommes, ou plutôt des gamins, de Dred étaient couchés sur le ventre à quelques dizaines de mètres de la piste. Certains, torse nu, étaient montés dans les cocotiers.

Le colonel Dred ne leur prêtait aucune attention. Il ne s'intéressait apparemment qu'à l'Africain et au Cubain.

Depuis son arbre, un guérillero coiffé d'un bonnet de laine à grosses rayures, cigarette au bec, lança :

— Ils arrivent dans une minute.

Il jeta son mégot.

Monkey Dred se retourna et fit un signe à l'intention de ses hommes. De part et d'autre de la piste, les culasses cliquetèrent.

Puis Dred épaula son propre M-16. Visa soigneusement.

Pressa la détente. Une fois. Deux fois.

Le crâne du Cubain explosa, et le sang éclaboussa les hautes herbes dans un rayon d'une dizaine de mètres. Kingfish Toone, lui, fut projeté en avant, les bras écartés, le dos du treillis percé d'un gros trou noir.

— Des nègres pourris ! cria Monkey Dred au guetteur. Ils roulent en Cadillac, ils se parfument.

D'ailleurs, cette double exécution lui avait été grassement payée, rubis sur l'ongle. Dred avait en effet obtenu deux autres mitrailleuses, ô combien précieuses.

Des taches de rouge apparurent dans l'entrelacs vert de la jungle, puis le colonel Dred distingua l'étage du bus. Les rayons du soleil ricochaient sur la peinture écaillée du toit. Quelques passereaux griffèrent le ciel. Toutes les vitres du vieux bus étaient ouvertes.

Américains, Allemands, Anglais et Sud-Américains admiraient le paysage, les magnifiques acajous, les bougainvillées, les perruches.

Ah, la jungle, la jungle !

— C'est joli, hein ! cria Dred aux jacamas, aux perroquets perchés au sommet des arbres.

Ses veines charriaient des torrents, comme les rues de Trenchtown au moment des pluies. Des torrents d'adrénaline. Il se faisait l'effet d'un superman rastafari. *Jah.* Une contradiction ambulante, qui parlait très, très vite.

Le bus bringuebalant venait de s'engager sur une portion de ligne droite, à moins d'une centaine de mètres. Il arrivait droit sur eux, entre deux haies de cocotiers et de pins.

Les hommes de Dred commencèrent à se parler. A s'interpeller. A babiller nerveusement.

L'image floue du bus rouge flottant dans les vagues de chaleur avait quelque chose de surréaliste. Les hautes herbes grillées par le soleil ployaient sur son passage, tels des cheveux dans le vent. Palmes et fougères fouettaient le toit et les vitres du véhicule.

Dred fixait le bus des yeux avec une telle intensité, avec une telle impatience, que le bus semblait s'être figé sur la ligne droite.

Il hurla :

— Ro-bert ! Ro-bert !

Un petit homme malingre aux yeux chassieux, coiffé d'un béret jaune à l'effigie du Che, courut le rejoindre. Avec son M-16 presque trop grand pour lui, il avait l'air d'un gosse.

— Reste à côté de moi, Robert. Ouvre bien les yeux. Je veux que tu le tires.

Comme si le bus rouge était un éléphant en train de charger.

Plus haut, Franklin James vit une jeune femme et un gamin se planter au milieu de la route. Pieds nus, en haillons décolorés, ils faisaient de grands signes.

James réprima un juron, freina, rétrograda, et les portes du bus s'ouvrirent en grinçant atrocement avant même l'arrêt du véhicule.

— Hé, c'est quoi, votre problème ? cria le gros Noir, furieux.

— Vous pouvez nous emmener jusqu'à la route principale ? hurla la jeune femme. Mon petit est très malade.

Le chauffeur lui répondit, l'air navré :

— Oh, m'dame ! Vous savez bien que je viens de la plantation et que je peux prendre personne !

— Mon petit est malade ! insista la jeune femme.

Soudain, il y eut une lointaine détonation, et un projectile fracassa l'angle supérieur droit du pare-brise, dont la moitié tomba à l'intérieur du bus.

Franklin James écrasa la pédale de l'accélérateur, et la Sauterelle fit un bond en avant.

Les M-16 firent feu de toutes parts. *Pop, pop, pop.*

Ce fut comme si, à moins d'une trentaine de mètres des hommes de Dred, le grand bus aux couleurs criardes venait de rouler sur un nid-de-poule géant. Il dérapa tranquillement au milieu de la route, bascula légèrement sur la droite, puis vira brutalement à gauche.

Franklin James était déjà mort, et son corps affalé sur le volant ballottait en tous sens. Les passagers du bus tombaient de leurs sièges.

Telle une tondeuse à gazon gigantesque, le bus à impériale faucha les hautes fougères, les buissons et les arbrisseaux avant de percuter un énorme palmier royal, dont le tronc éventra moteur et cabine sur près de cinq mètres, broyant les occupants placés à l'avant. Et la Sauterelle s'immobilisa enfin.

Les impacts commencèrent à cribler le flanc du bus.

A l'étage, les vigiles de la Tanner ripostèrent à coups de revolver. Tout au plus réussirent-ils à loger quelques balles dans les arbres d'où partaient les coups de feu.

Les hommes de Dred s'acharnaient à réduire le vieux bus en pièces. Certains passagers, déjà morts, étaient encore assis. Une épaisse fumée noire s'échappait à présent du moteur défoncé. Quelques personnes parvinrent à s'échapper du véhicule en sautant par les fenêtres. Elles furent aussitôt abattues. Le corps d'un garçonnet aux cheveux blonds, en short rouge, gisait dans l'herbe. Un homme d'un certain âge avait été fauché à quelques centimètres de l'énorme pneu noir de la roue avant droite. Une gamine de douze ans, une jolie petite fille habitant le Surrey, en Angleterre, courut comme les chevaux sur la propriété de son père, et parvint à survivre.

Dix minutes durant, les cris et hurlements épouvantables des quelque quarante passagers pris au piège se succédèrent. Puis il n'y eut plus que le *pop-pop* paresseux des M-16.

Le colonel Dred et Robert, son tireur d'élite, s'avancèrent vers le bus. L'air était chargé de fumée, et un silence terrible régnait sur les lieux. A l'approche des deux hommes, tous les oiseaux se remirent à jacasser. Le petit tireur d'élite dégaina un pistolet noir mat d'allure rustique, un Liberator.

Les rebelles disparurent à l'intérieur du bus. D'autres coups de feu retentirent. Un homme poussa un hurlement, puis il y eut une dernière détonation, assourdie.

En ressortant, Dred fit un signe aux quatre adolescents postés au bord de la route. Chacun d'eux portait une longue et effrayante perruque, et tenait à la main une machette ornée, au départ de la lame, d'un foulard rouge.

Les autres guérilleros émergeaient enfin de la brousse, descendaient des arbres où ils s'étaient embusqués. Et d'allumer qui un joint de ganja, qui une cigarette, qui un mauvais cigare. Seule une poignée d'entre eux prit la peine de venir examiner le bus.

C'est Dred lui-même qui aperçut la silhouette beige et vert se faufilant dans les fourrés, derrière le bus rouge. Il reconnut le visage de Damian Rose, tache rose au milieu de la végétation verdoyante. Son grand sourire éclatant.

— Rose, putain, c'est pas vrai ! s'exclama le jeune chef de guerre en comprenant ce qui allait se passer.

Il voulut s'écarter.

La première balle de fusil lui transperça le crâne et ressortit en emportant le nez et la bouche. La chaleur de l'impact était telle que, durant une fraction de seconde, le visage de Dred parut prendre feu. Le guérillero vit le sol se rapprocher à toute vitesse, et il disparut dans un trou noir résonnant de ses cris. « R... o... s... e... »

Le soir même, à six heures, le Président des Etats-Unis avait déjà été informé.

Cinq membres du conseil de lutte antiterroriste – le chef d'état-major des armées, le délégué de la présidence aux Affaires de sécurité nationale, le porte-parole de la présidence, le secrétaire à la Défense et le directeur de la CIA – l'avaient rejoint dans le Bureau ovale de la Maison Blanche.

Le directeur de la CIA exposa brièvement au Président un certain nombre d'éléments concernant Lathrop Wells, dans le Nevada, la famille Forlenza, Isadore Goldman, Damian et Carrie Rose, ainsi que l'île de San Dominica. Selon lui, il fallait éliminer Damian et Carrie Rose. Sans attendre.

— Vous vous foutez de ma gueule, finit par déclarer le Président des Etats-Unis.

Son regard se tourna vers le chef d'état-major, le porte-parole, le délégué à la Sécurité nationale.

— Je veux que quelqu'un me dise que ce type est en train de se foutre de ma gueule. C'est un ordre.

A partir de 18 h 30, dans le monde entier, toutes les stations de radio et de télévision interrompirent leurs programmes habituels pour annoncer qu'à San Dominica, le leader gauchiste des forces rebelles, le colonel Dassie Dred, avait trouvé la mort au cours d'une attaque visant un car de touristes, à une quarantaine de kilomètres de Coastown, la capitale de l'île.

A 20 heures, Carrie arriva à Washington.

Le plus dur restait à faire.

DEUXIÈME PARTIE

Exfiltration parfaite

Mardi 8 mai 1979

Baie des Cochons II

19

Damian et moi n'étions pas d'accord sur les modalités de notre exfiltration. Selon moi, il fallait immédiatement quitter les Caraïbes. Damian, lui, voulait boucler l'opération comme prévu. Régler leur compte à Campbell et Harold Hill avant qu'ils ne se lancent à notre poursuite... D'où l'importance de Macdonald. Et d'où la petite opération de Washington.

Carrie Rose, *Journal*

8 mai 1979, Fairfax Station, Virginie

Mardi matin. Le huitième jour de la saison.

Au lendemain du massacre d'Elizabeth's Fancy, Mark Hill prit une rapide douche, passa un coup de peigne dans son épaisse chevelure blonde avant d'enfiler un sweatshirt des Washington Redskins tout propre et un jean à pattes d'éléphant quasiment neuf.

Le bel adolescent de quatorze ans se regarda dans le miroir accroché au-dessus de son bureau et leva le pouce d'un air triomphant, avec un grand clin d'œil, façon Hollywood.

En bas, il entendait sa mère préparer le petit déjeuner. Une bonne odeur de bacon grillé flottait jusqu'à ses narines. Une odeur de bacon et de café. Il avait une sainte horreur du café.

Il se brossa rapidement les dents, puis utilisa le cure-dent à jet d'eau familial pour achever le travail. Il descendit l'escalier en trois grandes enjambées et pénétra dans la cuisine d'un pas nonchalant, imitant sans le savoir Bill Kilmer, *quarterback* d'une célèbre équipe de football.

Le soleil s'était invité dans la pièce par la fenêtre aux rideaux safran et la porte du jardin, ouverte. Devant l'évier, un homme et une femme encadraient la mère de Mark. Le visage dissimulé par une cagoule blanche, ils brandissaient chacun un revolver noir à canon long.

— Ecoute simplement ce que ces gens vont dire, fit Carole Hill, avec un tel calme que l'adolescent se demanda par quel miracle sa mère était soudain devenue si courageuse.

Carrie Rose fixa le jeune Mark des yeux à travers les fentes de sa cagoule.

— C'est exactement cela, Mark. Nous ne sommes pas venus vous faire du mal. Mets-toi à table, ta mère va te servir ton petit déjeuner.

Le regard toujours braqué sur les deux intrus, l'adolescent s'assit lentement.

Carole Hill s'approcha de sa cuisinière tout aussi lentement, avec la plus extrême prudence. Les mains tremblantes, elle retourna son bacon à l'aide d'une fourchette de table. Des projections de graisse lui mitraillèrent le tablier et le visage.

— Mon mari ne va pas tarder à rentrer, dit-elle d'une voix neutre. Il vient de…

Sous sa cagoule, Carrie sourit.

— Carole Ann, votre mari ne se trouve même pas aux Etats-Unis en ce moment. Détendez-vous. Préparez-nous un bon petit déjeuner, d'accord ? Nous allons passer la journée ensemble, semble-t-il.

Son acolyte, un tueur à gages new-yorkais du nom de Kruger, prit à son tour place à la table, face à Mark.

— Fais pas attention. Ça ne te concerne pas, Mark.

— Vous savez comment je m'appelle ? s'étonna le garçon.

— Oh, nous sommes des amis de ton père, lui répondit Carrie, avec un petit sourire.

20

La jeune femme que je suis va se risquer à évaluer, en toute candeur, le bilan de la CIA dans les Caraïbes en 1975... On peut parler d'un ratage général – c'est presque un cas d'école. Invraisemblable climat de paranoïa : Fidel Castro et/ou Moscou, les risques de soulèvement à Porto Rico, les troupes cubaines en Afrique. Large surestimation de Dassie Dred. Bonne appréciation de Joseph Walthey en gros porc prêt à tout pour conserver le pouvoir, et en allié indéfectible des Etats-Unis... Des informations le plus souvent inexactes ou périmées. C'est du mauvais renseignement...

Carrie Rose, *Journal*

Coastown, San Dominica

Au même moment, ce matin-là, à Coastown, Harold Hill, quarante-deux ans, bâilla à se décrocher la mâchoire.

Il étira ses maigres bras, émit quelques borborygmes en se pourléchant les lèvres et les gencives d'une langue quelque peu pâteuse, puis enleva ses lunettes à monture de corne et se massa l'arête du nez.

Il se renfonça dans son fauteuil, qui siffla comme un vieil asthmatique.

Il feuilleta le dossier militaire de Peter Macdonald.

« Peter Stillwell Macdonald. Né à Grand Rapids, Michigan, en 1950. Fils d'un colonel de l'Armée de terre et d'une prof de mathématiques.

Dernier de cinq frères. Ecole militaire de 1969 à 1971. Bien noté. Intelligence supérieure à la moyenne. Complexe d'infériorité dû en partie aux succès de ses frères... Sociable, mais préfère être seul... Pas d'amis proches... Tendances homosexuelles (testées en 1973, toutes affectations) : négatif. Grandes aptitudes au combat, mais attitude ambiguë face au conflit actuel. Sergent modèle... »

Hill écarta le rapport pour jeter encore un coup d'œil au bloc-notes jaune sur lequel il inscrivait tout ce que les Rose pouvaient lui inspirer. Il regarda un classeur noir étiqueté « Secret – Sensible », puis revint au bloc-notes. Il était 5 heures du matin, et il n'avait pas dormi depuis près de vingt-quatre heures.

En haut de la page jaune à la bordure bleue, il avait inscrit, en lettres bien centrées et soulignées en rouge, « Carrie & Damian Rose ». En dessous, il avait soigneusement rempli au stylo noir plusieurs colonnes. Des idées, des phrases, des noms, des rappels.. quatorze entrées.

1. Grand. Blond. Style anglais. A fait des achats chez Harrods.

2. Hôtel Saint-Louis à Paris... Nickie Handy abattu par une femme, dans un bistrot, juste à côté. Carrie ?... Handy avait travaillé pour Campbell (1972). Coïncidence ?

3. Carrie : cheveux châtain clair, très belle, paraît-il. Grande... danger ! Pas de chauvinisme, imbécile ! Carrie est aussi dangereuse que Damian.

4. Querelles de couple... indéniablement... conséquences ?

5. Dr Meral Johnson. Bonne connaissance du terrain. Utile ? Comment l'utiliser ?

6. Il faudrait qu'on mette la main sur Peter Macdonald aujourd'hui. Qu'on le dorlote. Utile !!!

7. Marines d'Amérique du Sud. Colonel Frescoe Hindrance !!

8. Des vieux coucous qui décollent de nuit. Livraison de marijuana à La Nouvelle-Orléans. Les abattre ? Les abattre.

9. Les gardes-côtes peuvent établir un cordon autour de l'île... Fouiller plus particulièrement les bateaux de plaisance... Goldman aiderait-il les Rose à s'enfuir ? Je pense que oui...

10. Ne pas laisser Joseph Walthey péter les plombs et exécuter tous les hommes de Dred. Important.

11. Coups de fil de Damian Rose à Campbell. Pourquoi ? Important ?

12. Dans leur désorganisation organisée, indice. Important !... Stu

Leedman arrivé de Los Angeles... Les Tchèques : des pros, niveau Rose, prêtés par Interpol. Hindrance !

13. Chiffre porte-bonheur ! Damian est sans doute un psychopathe.

14. Logiquement, des opérations de plus grande envergure sont à attendre. Peut-être qu'au contraire, tout s'arrêtera là... Toute l'astuce consiste à découvrir les règles du jeu. Il faut qu'on découvre les règles du jeu, ou on va se planter en beauté.

Harold Hill se leva pour arpenter son immense bureau. Cuivre et chêne massif, salle de bains, coin repas : un vrai bureau de VIP, digne des suites présidentielles qu'on trouvait dans les grands hôtels. L'ambassade n'avait pas lésiné sur les moyens. Les fous !

Non, se dit-il, les Rose ne réussiront pas à quitter San Dominica.

Si, il y avait un moyen. Trente-six, même, mais Hill essayait de se persuader que Damian Rose allait fatalement commettre une erreur avant son départ... Les coups de fil à Brooks Campbell. La clé était là. Il fallait être un peu allumé pour appeler Brooks Campbell, comme ça !

Harold Hill avait à sa disposition peu d'éléments, mais c'était mieux que rien : Damian Rose était un mégalo, grand, blond, au look anglais. Avec un peu de chance, on pouvait le coincer.

La veste de son complet crème pliée sur le bras, Hill quitta enfin la fraîcheur du palais diplomatique, satisfait de sa nuit blanche. Les choses commençaient à prendre tournure.

Un grand soleil sanguin émergeait à peine des vertes montagnes qui dominaient la petite ville et l'océan. Un soleil criard qui finirait par lui donner la migraine, ce jour-là.

Les deux soldats mal entraînés qui montaient la garde devant le portail de l'ambassade s'amusaient à se bousculer, hilares, comme pour rappeler à Hill à quel point les gens de ces pays se désintéressaient des réalités de leur situation.

Au passage, il les salua d'un coup de Panama, avec un grand sourire. Et pensa aussitôt au fameux poster avec la photo de Richard Nixon et, en légende, la question : *Pourquoi cet homme est-il en train de sourire ?* Oui, pourquoi ?

21

Si tout se passait comme Damian l'avait prévu, nous devions nous retrouver au Maroc, au Hilton, aux alentours du 12 mai. Et sinon, rien.

Carrie Rose, *Journal*

Cap Foyle, San Dominica

Le 8 mai, à 5 h 15, une vieille chanson de James Taylor, *Sweet Baby Jane*, trottait dans la tête de Peter. Ou plutôt, elle l'assourdissait. Il regardait, médusé, les vingt soldats noirs qui gardaient la carcasse du car d'Elizabeth's Fancy.

Le jeune Américain contempla ce spectacle de désolation durant dix, quinze minutes, le classa dans son dossier « la guerre et ses atrocités », puis partit trouver quelque chose à se mettre sous la dent.

Sans trop savoir pourquoi, il pensa aux Super Six : Neddy, Huey, Deli Bob, Bernie, Tommy la Vrille. Et le petit Pete, Petit Mac. Tandis qu'il s'éloignait du bus transformé en passoire, Peter se fit la réflexion qu'il était décidément bien seul, à présent. Même dans les Forces spéciales, on ne vous préparait pas à subir ce genre d'ignominies.

Et presque au même instant, Damian Rose chassa d'une chiquenaude le petit papillon bleu qui avait eu l'impudence de se poser sur la manche de sa vareuse couleur sable.

A 5 h 30, parfaitement réveillé, il entra dans une cabine téléphonique de Cap Foyle, un village d'agriculteurs quasiment néolithique.

Il demanda le numéro vingt-six et attendit qu'on lui passe la communication.

Deux habitants de Cap Foyle, un vieil homme et une jeune fille, les paupières engluées de sommeil, poussaient déjà leurs vélos squelettiques dans la poussière. Deux rues transversales plus loin, entre deux baraques, on pouvait apercevoir le vert éclatant de la mer Caraïbe.

— Allô… j'ai dit allô… fit une voix ensommeillée.

Damian interrompit Brooks Campbell en hurlant littéralement.

— *Il ne vous reste plus que huit heures, connard !* Huit heures pour vous décider à cesser de nous traquer. A respecter votre part du contrat.. Si, passé minuit, vous persistez à nous rechercher, je vous garantis que Hill et vous allez le regretter à un point que vous ne pouvez pas imaginer. Je vous le garantis ! Vous avez jusqu'à minuit pour vous montrer intelligent une fois au moins dans votre pitoyable vie de tâcheron…

Et Damian raccrocha. Le grand blond retourna à sa voiture en fredonnant l'un de ses airs préférés, celui de « Lili Marlène ». Il commençait à apprécier son plan de sortie du territoire…

Pendant ce temps, douze hommes au physique assez impressionnant étaient en route pour San Dominica. Ils venaient de Miami et de New York. D'Acapulco, de Caracas, de San Juan. Ils étaient tous mannequins, et chers. Ils travaillaient pour l'agence Ford. Pour Wilhelmina Men. Pour Stewart et Zoli.

Carrie les avait engagés une semaine plus tôt. Ils devaient poser pour la brochure d'un nouvel hôtel, Le Pirate, et celle du Domaine du Récif des Dragons, un luxueux programme immobilier. Sélectionnés à partir de portraits et de composites, ils toucheraient 500 $ par jour, plus les frais.

Chose remarquable, ces douze hommes faisaient tous entre 1,88 mètre et 1,92 mètre.

Tous étaient parfaitement blonds.

Et tous avaient l'air très, très anglais.

La deuxième partie de cette curieuse aventure venait de commencer. L'exfiltration parfaite.

22

Tous les grands motels sont en train de monter leurs casinos. L'île connaîtra une mauvaise saison, peut-être deux, voire trois. Et ensuite, ce sera l'explosion, bien au-delà de ce que les autochtones peuvent imaginer. Quatre fois plus vaste que Nassau et New Providence, deux fois plus belle que la Jamaïque, cette île devrait devenir le Monte Carlo des Caraïbes.

Carrie Rose, *Journal*

Ces temps-ci, l'anti-américanisme est à la mode. J'ai l'espoir d'être à l'avant-garde d'un contre-mouvement qui, je le devine, pourrait bientôt devenir tout aussi à la mode. Autrement dit, un mouvement ouvertement pro-américain.

Joseph Walthey

Coastown, San Dominica

Mardi après-midi

Pendant ce temps, Brooks Campbell avait passé de longues heures en compagnie d'une cafetière fumante remplie d'un Blue Mountain de la Jamaïque aussi fort qu'excellent. Jusqu'en début d'après-midi, ce 8 mai, le jeune agent de la CIA appela personnellement, en toute sincérité, quelques-uns des meilleurs chasseurs de criminels de la planète.

Et dans le grand bureau voisin, Harold Hill faisait à peu près la même chose, mais à plus grande échelle.

Ils appelèrent M. Alexander Somerset, le chef de la police judiciaire de Scotland Yard ; Edward Mahoney, au Service des renseignements généraux de Washington ; le Bureau des assassinats de Paris. Ils contactèrent les plus grands spécialistes du crime en Allemagne, en Italie, en Espagne, au Canada…

Le message était clair, son objet hautement prioritaire et ultra-confidentiel.

« Une vaste chasse à l'homme a été lancée dans les Caraïbes et en Amérique du Sud. Dans la plus grande discrétion. Elle vise deux mercenaires de race blanche, particulièrement sournois, qui ont entraîné des guérilleros dépenaillés et leur ont appris à combattre et à penser comme les Kikuyus kenyans, les feddayins de l'OLP et les soldats de l'armée japonaise. Et qui ont, entre autres faits d'armes, massacré les quarante-neuf passagers d'un car. Ils s'appellent Damian et Carrie Rose. »

Manifestement, pour les autorités américaines, il s'agissait d'une opération touchant à la sécurité nationale, et qui devait rester ultra-secrète. Ce qui signifiait que quelqu'un, une fois de plus, avait fait une grosse bêtise dans les Caraïbes.

Et la nature exacte de cette bourde devait elle aussi rester ultra-secrète.

Un petit malin, à Interpol, s'empressa néanmoins de baptiser l'opération « La Baie des Cochons II ». Et le dimanche suivant, à Londres, l'expression faisait la une de l'*Observer*.

Cela commença officieusement le 8 mai à 18 heures, et officiellement le 9, à 9 heures. Le projet était des plus sérieux : prendre l'île de San Dominica, 8180 km^2, la retourner et la secouer, la secouer, la secouer encore comme un cochon-tirelire.

En espérant qu'au bout du compte, les deux Rose et Peter Macdonald tomberaient dans les bras accueillants de Brooks Campbell et Harold Hill.

Dès neuf heures, des camions équipés de sonos firent leur apparition dans les principales localités et leurs environs pour diffuser, d'un ton des plus polis, d'une voix presque chantante, la description d'un homme de grande taille, blond, qui ressemblait à un Anglais, ainsi que celle d'un jeune Américain, Peter Macdonald.

Pendant ce temps, des soldats dominicains et des Marines américains venus de Géorgie et de Floride entreprirent de passer au peigne fin les plages, la brousse et même l'immense forêt pluviale, ce véritable sauna qu'étaient les West Hills. Dans les villes de Coastown, Port Gerry et Cape John, chaque maison, chaque hôtel allait être fouillé.

Tous les pays ayant perdu des ressortissants dans l'attentat du car d'Elizabeth's Fancy proposèrent leur aide : l'Allemagne, les USA, la Grande-Bretagne, le Canada, la France, Israël, Trinidad, la Jamaïque, l'Argentine, et même l'Etat du Texas. New York et Washington dépêchèrent des experts en balistique, en dispositifs anti-émeutes, en interrogatoires. On envoya des marshals fédéraux supplémentaires pour aider au maintien de l'ordre dans les villes. Des chasseurs de primes, dont une équipe spéciale surnommée « les Tchèques », débarquèrent d'un peu partout, y compris d'Europe de l'Est. Le montant des récompenses proposées dépassait les 150 000 $.

Quand Interpol fut informé qu'on recherchait « un individu au style anglais », le secrétariat constitua à Saint-Cloud, en France, une cellule spéciale chargée de réunir des renseignements sur tous les trafiquants d'armes et mercenaires connus et de les transmettre au Département des casiers judiciaires. Kingfish Toone et le Cubain, Blinkie Tomas, firent l'objet d'un complément d'enquête.

A aucun moment, la légitimité de la chasse à l'homme déclenchée par Campbell et Harold Hill ne fut remise en question. Le plus aigri, le plus cynique des enquêteurs n'aurait pu lui-même deviner ce qui s'était réellement produit dans les Caraïbes.

Le premier jour, à la tombée du soir, huit hommes, tous grands, tous blonds, avaient été pris dans les mailles du filet. Les deux tiers des douze.

En examinant le huitième suspect, blond comme les autres, beau comme les autres, grand comme les autres, le marshal fédéral Stuart Leedman, de Los Angeles, eut le désagréable sentiment qu'on lui cachait quelque chose dans cette sinistre affaire. Oui, songea-t-il, cette histoire sent mauvais.

— Et dites-moi, que faites-vous, dans la vie ? demanda-t-il à Antoine Coffey, le bellâtre à la crinière blonde qui, comme adresse, avait indiqué le Monde des Esprits Libres.

La question parut désarçonner le mannequin.

— Dans la vie ?

— Oui. Comment gagnez-vous votre vie, Antoine ? Comment faites-vous pour payer le loyer ? Pour aller au cinéma ?

Le visage de Coffey s'illumina.

— Oh, *ça*, murmura-t-il. La s-s-sodomie, vous voulez dire.

Le marshal Stuart Leedman se leva, se planta devant la porte et hurla, à en faire vibrer les dignes lambris du couloir de l'ambassade :

— Qui m'a fait venir ces tantouzes décolorées ? Putain, c'est quoi, ce bordel de merde ?

C'était à n'y rien comprendre. Après les massacres à la machette, on franchissait un degré de plus dans l'absurde. Conformément aux espoirs de Damian.

Port Gerry, San Dominica

Mardi soir

Le nez collé à la vitre verte, bien fraîche, du bus n° 9, Peter regardait les chemises à fleurs défiler dans Station Street. Il se faisait l'effet d'un étranger au paradis, comme dans la chanson…

Des chemises rose et violet comme en portaient toujours les Espagnols des grandes villes. Des grosses casquettes en cuir, style champignon, et de minuscules chapeaux mous. Des lunettes de soleil noires enveloppantes. Des gosses de la campagne qui se la jouaient Tonton Macoute.

Peter s'était rendu compte qu'à San Dominica, les gens passaient leur temps à attendre le bus. Et vu sous cet angle, le massacre du car d'Elizabeth's Fancy prenait des proportions extraordinaires. C'était comme attaquer une autoroute américaine très fréquentée. Sectionner une artère principale.

De jeunes Créoles en robes maison et sandales s'agglutinaient à proximité de la gare routière. On les surnommait « les patronnes », à Coastown.

Quand le bus n° 9 commença à freiner, Macdonald posa la main sur le Colt .44 glissé sous sa chemise. Son cœur se mit à battre violemment… Depuis un certain temps, Peter imaginait le grand blond à l'affût à chaque coin de rue, derrière chaque palmier. Tel un élégant démon, prêt à l'entraîner dans les ténèbres…

La gare routière se réduisait à une cabane en bois couverte de vieilles pubs de bière et de Coca qui valaient plus que la cahute elle-même. Le bus n° 9 s'arrêta juste devant, en se cabrant et en tressautant comme une vieille danseuse du ventre. Les passagers et leurs animaux se réveillèrent brutalement. Les volailles de caqueter et d'agiter leurs ailes rouge et blanc comme des éventails. Une chèvre se mit à donner des coups de patte contre la banquette, et un vieux Noir donna des coups de pied à la chèvre.

— Hé, la nana en robe bleue ! hurla un jeune malappris penché à la fenêtre du bus.

L'air brûlant s'engouffra bruyamment dans le véhicule, et le chauffeur dit quelques mots que Macdonald ne put comprendre. Mais les passagers commencèrent à descendre, et le jeune Américain devina qu'il était arrivé à destination.

Ce trou perdu devait être Port Gerry, la célèbre station balnéaire fréquentée par toute la jet-set.

Après avoir acheté un pâté à trente *cents* au kiosque de la gare, Peter gravit une rue en pente mal éclairée, dépourvue de trottoirs, et flanquée de baraques sinistres.

Le pâté avait une odeur de mauvaise haleine, et la rue puait la transpiration. Peter avait l'impression que son corps n'allait pas tarder à crier grâce… La dernière fois qu'il s'était senti aussi mal, si sa mémoire ne le trahissait pas, c'était en Thaïlande, lorsqu'il avait eu la dysenterie.

Et ce terrible sentiment de solitude… Il pensait sans cesse à Jane.

Lorsqu'il l'avait vue, la première fois, au Plantation Inn, il s'était dit : encore une emmerdeuse. Discrète, mais très sûre d'elle, en bonne New-Yorkaise. La repartie facile. Dès qu'un type, à l'hôtel, avait le malheur de lui dire bonjour, elle le descendait en flammes. Pour Peter, c'était Ali MacGraw, en blonde. Une emmerdeuse… Un week-end, pourtant, il lui avait proposé de faire la traversée de l'île avec lui. De voir la jungle des West Hills. Les plages de l'autre côte. Et, ô surprise, elle avait immédiatement répondu oui… Vingt-quatre heures plus tard, ils étaient toujours en train de parler. Ils avaient passé la journée à se raconter leur vie. Incroyable. A dévoiler tous leurs points sensibles, alors qu'ils se connaissaient à peine. Avant la fin de cette première journée, ils avaient versé des larmes ensemble. Blottis l'un contre l'autre, à la nuit tombante, sur une plage déserte… parce qu'ils avaient tant souffert de la solitude. Parce qu'ils avaient tellement de choses à dire…

A mi-chemin, Peter aperçut une pancarte : A LOUER. Une autre : CHAMBRES. Avec un angelot noir endormi sur deux mains croisées.

Au-dessus d'une porte, en haut de la rue, Peter lut BIENVENUE. Voilà qui lui convenait.

Dans l'entrée, un homme de grande taille, barbichette au menton, jouait aux dominos avec un gamin.

— Oui, man ? fit l'adulte d'une voix grave et posée, totalement inattendue.

— Il me faut une chambre, s'il vous plaît. Je suis très fatigué.

Le type regarda Peter d'un air bizarre. Haussa les épaules. Se dirigea vers un petit pupitre d'écolier, gribouilla une ligne dans un registre rouge. Demanda six dollars d'avance pour la chambre.

— Le gosse, il va vous emmener. Et le matin, on vous sert le petit déjeuner, man.

Le gamin désigna un escalier sombre. Passa devant Macdonald, avec une bougie fichée dans une assiette creuse.

Dans l'escalier, il se mit à murmurer. A la lueur de sa petite bougie, l'hôtel se dessina peu à peu, dans une ambiance de film noir.

— Demain, tu viens pêcher dans le bateau de mon père, man. T'attraperas des mérous. Plein de grosses dorades, aussi.

En haut, Peter commença à rire.

— Je suis désolé. Je ne me moque pas de toi, mais je ne peux pas aller pêcher, demain.

— Dommage, man. Tu sais pas ce que tu manques.

Ils suivirent un couloir difforme, au plancher bancal, couvert d'un long tapis tout usé, avec des portes en bois brut de chaque côté. Au fond, une petite lumière et un téléphone noir, par terre. Peter comprit soudain que, dans cet hôtel, tout était noir. Bienvenue…

Une fois à l'intérieur de sa chambre, il dissimula son portefeuille entre les canalisations rouillées du lavabo. Ce faisant, il se cogna violemment la tête et le choc, curieusement, le fit presque sourire. Il avait quelque chose de grisant. L'espace d'un instant, Peter avait réussi à oublier le grand blond. Le boucher.

Puis il s'assit sur son lit, la tête relevée pour voir la porte. Le Colt posé sur le caleçon. Des échos de reggae métallique montaient de la rue. Dans l'arrière-cour de l'hôtel, des cochons fouaillaient le sol à la recherche de nourriture.

Avant de pouvoir s'endormir, Peter dut retourner dans le sinistre couloir. Il décrocha le téléphone noir et demanda le numéro 107. Il entendit d'abord une standardiste à la belle voix mélodieuse. Une habituée de la nuit. Puis une femme qui paraissait très lointaine, à moitié endormie. Et enfin Jane.

— Salut, Laurel. (Les traits de Peter s'éclaircirent ; un sourire assoupi se dessina.) C'est Oliver Hardy. Je crois que je suis en train de péter les plombs, ma puce…

23

En ce qui concernait Brooks Campbell, notre stratégie était simple : il fallait le placer face à une multitude de choix, pour le stresser. Avec Harold Hill, le problème était totalement différent. Nous l'avons frappé directement là où cela faisait le plus mal.

Carrie Rose, *Journal*

Fairfax Station, Virginia

A 2 h 30 du matin, deux patrouilleurs de la police d'Etat de Virginie, James Walsh et Dominick Niccolo, foulèrent la pelouse humide d'une propriété sur laquelle se dressait une grande demeure blanche.

Un voisin avait téléphoné. Il avait cru entendre des appels à l'aide.

Les policiers passèrent par-derrière et découvrirent que la porte de la cuisine n'était pas fermée. Ce qui, dans la paisible campagne de Fairfax Station, n'avait rien d'exceptionnel.

Dans la cuisine, ils entendirent le tic-tac d'une pendule électrique. Le bourdonnement d'un réfrigérateur. Les bruits indistincts d'une maison vide, ou assoupie.

Au-dessus de l'évier, une petite lampe diffusait dans la pièce une lumière orangée. Sur la table, il y avait des tasses de café, une boîte de beignets à moitié vide et des restes de sandwiches.

Dom Niccolo alluma la lumière du hall d'entrée et lança, d'une voix de ténor :

— Bonsoir ! Il y a quelqu'un ? C'est la police d'Etat de Virginie.

Pas de réponse.

Les deux hommes poursuivirent leur exploration des lieux, en allumant dans les pièces, en lançant des appels.

Dans le séjour, il y avait de la lumière. Au moment où ils entrèrent dans la pièce confortablement meublée, un bruit fracassant les fit sursauter. La machine à glaçons du réfrigérateur...

— Putain de frigo... marmonna James Walsh.

Ils entendirent un autre bruit. Un jeune épagneul noir dévala l'escalier, frétillant de la queue, et sauta sur les deux troopers en leur donnant de grands coups de langue.

— C'est qu'il m'a fait peur aussi, ce petit chien, fit Walsh.

— Nom de Dieu, Jimmy. (Dom Niccolo s'accroupit pour examiner l'animal.) Il a du sang sur tout le flanc. Regarde-moi ça, Jimmy.

Ils dégainèrent chacun leur arme.

— Police d'Etat de Virginie ! lança Niccolo du pied de l'escalier.

— Vaudrait mieux qu'on appelle des renforts, chuchota Walsh.

Niccolo lui fit signe de se taire.

— Viens.

Dominick Niccolo et James Walsh montèrent lentement en pointant leur revolver sur le palier plongé dans la pénombre. L'épaisse moquette étouffait le bruit de leurs pas.

En haut, ils découvrirent le corps d'une femme.

Carole Hill, pieds nus, vêtue d'un chemisier à fleurs et d'un short blanc, avait le visage et la poitrine couverts de sang coagulé. Une grande tache était en train de noircir la moquette.

Dans l'une des chambres, James Walsh trouva un adolescent.

Mark Hill était enfermé dans son placard à vêtements. Bâillonné et ligoté, mais vivant.

Peu après, dans la chambre parentale, Dominick Niccolo se servit d'un téléphone tout rose, un vrai téléphone de princesse, pour appeler la caserne des troopers à Alexandrie.

— Une maison sur Shad Stream Road. Propriété de M. et Mme Harold Hill. Le mari est apparemment absent... Johnny, tu ne vas pas me croire, mais il y a une grande machette plantée dans le cœur de cette pauvre femme. Jimmy Walsh est en train de gerber dans le couloir. Faites vite, hein...

Les meurtres à la machette s'étaient déplacés aux Etats-Unis. Presque jusqu'à Langley – siège de la CIA. A une vingtaine de kilomètres de la Maison Blanche.

La mise en garde n'aurait pu être plus claire.

Mercredi 9 mai 1979

Gigantesque chasse à l'homme

24

Extrait du *Journal* de Carrie Rose

En décembre 1978, j'avais contacté par télégramme, puis par téléphone, notre dernier acteur important, un excellent tireur du nom de Clive Lawson. Il était anglais, et pas donné. A cette époque-là, il trafiquait de la cocaïne et du porno haut de gamme à North Miami Beach, Floride.

Lorsque j'ai fini par avoir Lawson au téléphone, je lui ai dit que je travaillais pour le compte du señor Miguel Alvarez de Caracas (Pietra Forte) et d'Anthony Patriarca de Miami (Cosa Nostra), que j'avais entendu dire qu'il était ou allait être en possession d'un stock de films 16 mm et que je souhaitais en faire l'acquisition.

— Auriez-vous de quoi stimuler des messieurs d'un certain âge ? lui ai-je demandé. Je voudrais organiser des séances privées pour des vieux messieurs.

Lawson m'a répondu qu'il pouvait peut-être me donner satisfaction. Il fallait voir. Il ne parlait pas business au téléphone.

Le 15 décembre, nous nous sommes retrouvés au Poodle Bar de l'hôtel Fontainebleau, à Miami. Drôle d'endroit pour une rencontre de ce genre…

Le tueur anglais portait une chemise blanche froissée sous un blouson écossais à peine voyant. Et de grosses lunettes à monture noire qui ne lui allaient pas du tout. Parce que, voyez-vous, Clive Lawson était très bel homme. Un côté Michael Caine, de loin. Il me rappelait beaucoup Damian.

Il a commandé un gin, un Tanqueray avec un zeste de citron, et moi j'ai pris quelque chose de chic, un Campari. On a tous les deux joué notre rôle et puis, au bout d'un moment, je lui annoncé tout simplement que je m'appelais Carrie Rose.

Après cet aveu, nous avons parlé du Congo et de l'Asie du Sud-Est, les endroits où nous étions tous les deux allés et où nous avions vaguement entendu parler l'un de l'autre. Clive m'a raconté comment il était tombé dans le porno via la Petra Forte – la prétendue filière latino-américaine. Nous avons parlé de Damian et moi.

Puis, de façon très prosaïque, tout en restant aussi vague que possible, j'ai expliqué au tueur anglais deux ou trois choses sur San Dominica.

— Il faut que je vous précise, lui ai-je dit après mon gambit d'ouverture, que nous ne pourrons pas vous donner tous les éléments. L'identité du donneur d'ordre, par exemple. C'est la règle numéro un… En revanche, nous sommes prêts à payer des sommes très importantes pour une mission périphérique qui ne devrait pas poser trop de problèmes.

Derrière les grosses lunettes, les yeux verts de Lawson se sont mis à miroiter comme de belles émeraudes. Il avait un côté décontracté, sûr de lui, qui commençait à me plaire.

— C'est le genre de boulot que je préfère, m'a-t-il répondu. Continuez.

— Pendant une semaine, en mai, votre travail consistera à entraîner la police san dominicaine sur des fausses pistes, dans toute l'île. D'où l'utilité de votre expérience au Congo. Et c'est pour cela qu'on vous paiera.

Lawson a levé les sourcils.

— Je vais tirer sur des gens ? Ou je vais me faire tirer dessus ?

— Si vous n'êtes pas assez prudent, on vous tirera sûrement dessus. Les règles de base habituelles sont toujours en vigueur, Clide. On vous affectera au moins deux cibles. Probablement des cibles militaires. Des crétins, des petits grades.

Le grand blond a souri. Il comprenait parfaitement. Ou, du moins, il croyait avoir compris : c'était lui qui allait couvrir notre fuite.

— Combien ? m'a-t-il demandé ensuite.

— Cinquante mille dollars.

Il s'est mis à rire.

— On ne discute pas, hein ? Vous ne me laissez même pas tenter ma chance, essayer de marchander un peu. D'accord, je pense que… Et si on disait soixante ? Je suppose que pour repartir, je vais devoir me débrouiller tout seul…

— Va pour soixante.
— D'avance, bien entendu.
— Bien entendu.
Et devant le tueur anglais, sur le comptoir du bar du Fontainebleau, j'ai posé une bonne grosse enveloppe brune.
Damian et moi venions de nous offrir le pigeon le plus cher de l'histoire du crime. Il allait nous aider à échapper à toutes les polices.

Au matin du 9 mai 1979 – mardi –, nous avons lâché notre pigeon. Clive Lawson allait commettre un attentat sanglant, en se faisant passer pour Damian.

25

Derrière chaque femme ayant réussi, il y a un gros con.

Carrie Rose, *Journal*

9 mai 1979, Coastown, San Dominica

Mercredi matin. Le neuvième jour de la saison.

Harold Hill n'avait pas bien dormi la nuit du huit.

Le matin, à 5 h 30, il appela Brooks Campbell chez lui, à Coastown. Encore un coup de fil bizarre pour ce pauvre Campbell.

— Il faut qu'on mette la main sur le petit Macdonald, dit-il sans autre forme de présentation, comme si Campbell et lui avaient passé la nuit à discuter. Avec lui, si ça se trouve, on aurait déjà arrêté Damian Rose. Nous, nous sommes incapables de l'identifier.

Brooks Campbell faisait ce qu'il pouvait pour émerger de son sommeil. Hill était en train de lui dire quelque chose qui avait l'air important. Hill était en train de lui dire…

— Il nous faut… euh… quelqu'un qui sache à quoi ressemble Rose, bredouilla enfin Campbell.

— Exactement. Alors, aujourd'hui, on va concentrer tous nos efforts sur Macdonald.

Les données du problème changèrent légèrement à 8 heures, quand Langley appela Hill pour lui apprendre que sa femme avait été assassinée.

A Langley, on s'avouait perplexe. Le meurtre de Carole Hill était un mystère.

Harry le Dégommeur, lui, avait compris. C'était Damian Rose ou lui.

Port Gerry, San Dominica

Ce matin-là, quand Peter se réveilla, le soleil des Caraïbes s'engouffrait par les deux fenêtres et venait exploser contre le miroir accroché au-dessus du lavabo.

Un mango perché sur le rebord d'une des fenêtres martelait à coups de bec le bois fissuré... Sa petite tête était encapuchonnée de velours. Il regarda l'homme au visage endormi d'un œil froid, éternua, puis reprit ses bruyants travaux de menuiserie.

— Hé, sois cool, ou tire-toi, fit Peter à l'intention du volatile.

Il se sentait mieux. Enfin, humain. Cette chambre d'hôtel, cette débauche de soleil, la proximité de l'eau, lui rappelaient un peu la maison de ses parents sur le lac Michigan.

A la lumière du jour, l'hôtel se révélait à la fois délicieux et délicieusement kitsch. Il y avait plusieurs motifs de papier peint, plus ringards les uns que les autres, sur trois des quatre murs, mais Peter pouvait voir, de son lit, une grande bande d'océan turquoise.

— Dieu, lance-moi un quignon de pain, murmura Peter face à la fenêtre ouverte.

Il s'assit en tailleur sur les draps gris froissés et, en bon ancien de West Point, esquissa un plan de bataille au dos de l'unique carte postale qu'il avait trouvée dans le tiroir de la table de chevet.

Domaine Rockefeller (Caneel Bay)
Vol sur la Martinique ? St Thomas ?
Washington... via New York
Sénateur Planzer. Département d'Etat ?
Le *Washington Post* ?
Le vol de Janie.
Le *Fish 'n Fool.*

Et à moi la liberté...

On frappa sèchement à la porte de la chambre. Le cœur de Peter fit un bond. L'Américain empoigna le Colt .44 glissé sous les draps.

Une jolie Créole pointa le nez. Elle portait un plateau bien chargé.

— Petit déjeuner, monsieur.

— Oh ! là, là ! gémit Peter. Je viens à peine de me réveiller. (Il se composa un sourire.) C'est bon, entrez.

La fille lui apportait de beaux toasts de pain blanc, des kilos de confiture et de gelée de goyave, et du café bien chaud, dans une thermos d'enfant illustrée d'une scène de dessin animé, avec cochons et loup affamé.

Lorsque la fille déposa le plateau, Peter vit la pointe de ses seins. De beaux seins qui bougeaient bien. De belles jambes bien cuivrées. Un beau cul de soubrette.

Les fines mains couraient sur les plats en plastique.

En regardant la jeune fille à l'œuvre, Peter se fit la réflexion qu'il n'avait parlé à personne depuis un jour et demi. Enfin, de vive voix. Il s'entendit dire : *Bonjour, je me sens un peu à côté de la plaque, en ce moment. Asseyez-vous. Prenez un peu de votre excellent café...*

Mais il ne prononça pas un mot, et se contenta de regarder la fille repartir. Un joli petit cul, un sourire craquant. Une pub vivante pour l'île.

— Il va être froid, votre petit déjeuner.

Elle souriait. Elle s'en alla. Peter mâchonna son toast en contemplant l'oiseau chanteur. Encore excité, curieusement, et tous les sens en éveil.

Ce qui n'amoindrissait pas sa peur, bien au contraire.

Peu après onze heures, il passa une vieille chemise afghane, un pantalon brun, se coiffa d'un bob bleu. Une tenue de travailleur qui, il l'espérait, lui permettrait de passer une dernière fois inaperçu.

A onze heure un quart, il quitta l'hôtel Bienvenue et se mit à la recherche d'un bateau, le *Fish 'n Fool.*

Peter savait que ce bateau faisait la navette entre le luxueux domaine Rockefeller et Caneel Bay. De Caneel Bay il pourrait trouver un petit avion pour se rendre dans une autre île et de là, en toute sécurité, prendre un vol régulier pour rejoindre les Etats-Unis. Une fois à Washington... Enfin, déjà, il ne serait plus à San Dominica. A Washington, quelqu'un les écouterait, Jane et lui. Son père, d'ailleurs, avait un vieil ami, le sénateur Pflanzer. Et Peter connaissait lui-même un général au Pentagone...

Quand l'information commencerait à circuler, là-bas, il y aurait du grabuge.

Pour celui ou ceux qui avaient engagé le mercenaire blond de Turtle Bay, la surprise serait de taille.

Vers midi et quart, Peter surfait sur l'adrénaline.

Une sensation qui se rapprochait de celle qu'il éprouvait en Asie, l'après-midi, en patrouille. Dans les régions frontalières du Vietnam, où il s'était inventé de nouvelles défenses, où il avait appris à dériver, à se laisser emporter par le courant.

Le monde, autour de lui, était devenu légèrement flou, et Peter se concentrait sur le Black qui prenait les tickets à l'arrière du *Fish 'n Fool*. Un joli garçon, qui soignait son look : T-shirt hyper-rose, short hyper-court, bracelets et collier de corail hyper-serrés.

— *Parlez-vous français ?* demanda-t-il à Peter en souriant de toutes ses dents. Non. Vous êtes américain, hein ?

— New York, répondit Peter. Manhattan. 63e Rue Est. (L'aisance avec laquelle il mentait, jouait la comédie, lui fit presque peur.) On part aux alentours de midi et demi ?

— Midi et demi pile, confirma le jeune homme, le sourire toujours en place, comme un beau pli de pantalon. Enfin, à cinq minutes ou une demi-heure près, le temps de récupérer mes amis *turista* perdus… John Sampson, Norfolk, Virginie. (Il tendit la main. Son sourire se distendit davantage.) A votre disposition, New York !

Peter lui rendit finalement son sourire. Allons bon, une apprentie tantouze ! Il abaissa son bob et monta sur le pont principal.

La plage arrière du *Fish 'n Fool* tout de cuivres et d'acajou, était peuplée de dieux et de déesses aux corps bronzés. T-shirts, jeans, lunettes de soleil, chaque vêtement, chaque accessoire était, bien entendu, griffé. Une odeur de benzocaïne, de camphre et de chair brûlante flottait dans l'air.

— Bonjour.

Longue chevelure noire, bronzage jet-set. Deux-pièces rouge minimaliste.

— Bonjour, fit Peter, qui se faisait l'impression de jouer les aumôniers de bord.

— Salut !

Cheveux blonds frisés, courts. Verres polarisants. Un mec.

— Salut.

Comme par timidité, et pour ne pas faire comme tout le monde, Macdonald trouva une banquette capitonnée à moitié à l'ombre. En réalité, il était un peu gêné. Il avait les cheveux en bataille, et n'avait pas pris de bain depuis des jours…

Il posa ses tennis sur le garde-corps en laiton, abaissa son chapeau. Ecouta les battements rapides de son cœur, un cœur bien robuste.

Demain, songea-t-il, ça va me faire un drôle d'effet. Washington. Par où commencer ?

Et, tout doucement, son esprit partit à la dérive. Loin, très loin, jusqu'à un bel endroit, à la lisière du rêve, sans revolvers, sans machettes, sans tueurs blonds. Un lieu où tout n'était que Janie, repos et évasion.

Pendant ce temps, John Sampson, le Noir originaire de Norfolk, Virginie, était descendu à terre pour passer un coup de fil.

A 13 h 15, le ciel s'était transformé en brasier. Le soleil en lance-flammes. Toute une ville sud-vietnamienne en feu.

Le visage toujours masqué par son chapeau, Peter avait les yeux grands ouverts. Il essayait de voir à travers les mailles distendues de la toile.

Pendant un long moment, il eut presque l'impression de se trouver dans un stade américain plein à craquer. Le brouhaha de la foule résonnait autour de lui. Comme s'il assistait à une grande finale de base-ball, dans les gradins. Le Tiger Stadium. Mickey Lolich sur la plaque. Il ne manquait plus que les vendeurs de hot-dogs…

— Monsieur Macdonald.

Le murmure de la foule.

— Bonjour, Peter.

Le murmure de la foule.

Vaseux, la langue râpeuse, la bouche imprégnée d'un goût amer écœurant, Peter releva le chapeau qui lui couvrait les yeux. Et ce qu'il découvrit dans la lumière aveuglante de l'après-midi le propulsa en plein cauchemar.

Sur le quai, des soldats dominicains tenaient à l'écart une foule de curieux, essentiellement des Noirs, dont le regard était braqué sur le *Fish 'n Fool*. Et des policiers armés de fusils pas très récents s'engouffraient à bord du bateau, en file indienne.

Plus près de lui, Macdonald distingua tant bien que mal John Sampson de Norfolk, Virginie. Puis le chef de la police de San Dominica.

Un Américain aux cheveux gris, qu'il ne reconnut pas. Et enfin, Brooks Campbell. Costume de lin blanc. Lunettes de soleil à monture de corne un peu trop grandes pour son visage. Toujours la même élégance…

Et Peter sentit soudain une immense fatigue s'emparer de lui. Sa tête se mit à tourner, son cœur à battre si fort, si vite qu'il prit peur.

— Bonjour, répéta Campbell.

— Vous devez nous accompagner, dit le chef de la police. Ne vous inquiétez pas.

Un vrai gag à la Bob Hope, songea Peter. Normalement, il aurait dû rire. Il se contenta de regarder les quatre hommes, en clignant des yeux. Dans sa tête, il y avait comme une machine à sous, avec trois rouleaux... L'Anglais blond, le colonel Dred, la Cosa Nostra. Désolé, sénateur Pflanzer, je ne vais pas pouvoir me rendre à Washington...

— Attendez, je vais vous aider à vous relever, Macdonald.

Il se leva tout seul. Crasseux, pas rasé.

Sur le pont, tous les jet-setters s'étaient levés pour assister au spectacle. En se chuchotant à l'oreille qu'eux aussi, ils l'avaient trouvé un peu bizarre lorsqu'il était monté à bord.

Les touristes pointaient sur Peter leurs superbes appareils photo, avec leurs grands sourires d'imbéciles heureux. Et les soldats qui souriaient, eux aussi, avec leurs fusils noirs, leurs fusils à la noix qu'on aurait dit taillés dans du savon.

Campbell et l'autre Américain l'encadrèrent, d'un pas très officiel. Lui firent franchir le tunnel des curieux. L'autre type essayait de se présenter, parlait d'un certain Hill, voulait serrer la main de Peter.

Puis, brusquement, au milieu de cet invraisemblable attroupement, le chef de la police prit Peter par le bras et l'obligea à se retourner. Il était massif, il transpirait. Il le dévisagea. Il avait l'air meurtri, sensible, un peu à la masse, lui aussi.

— Il se passe encore des choses bizarres, inexplicables, sur notre île, déclara Meral Johnson. (Il marqua un temps d'arrêt, comme s'il cherchait ses mots, puis des larmes se mirent à rouler sur ses joues, et il chuchota à Peter :) Jane Cooke a été tuée ce matin. Je suis absolument désolé, monsieur.

Mandeville, San Dominica

Ce matin-là, à dix heures moins le quart, deux hommes aux cheveux courts et en complet gris avaient emmené Jane – en fauteuil roulant. Ils étaient sortis de l'hôpital de Mandeville par une porte de service.

Dans l'allée fleurie, bordée de palmiers royaux et de plumbagos, la jeune et jolie blonde retrouvait peu à peu le sourire. Comme si elle n'avait pas eu l'occasion depuis des années.

— Ça me rappelle un peu les Bermudes, fit l'un des deux hommes.

— Moi, ça me rappelle un peu *L'Homme de fer*, ironisa Jane. Raymond Burr dans son fauteuil roulant.

L'homme qui la poussait renâcla littéralement. C'était James McGuire, cinquante-neuf ans, le ventre jovial, qui avait un côté Père Noël, sans barbe blanche.

Son collègue, James Dowd, n'avait que trente et un ans. Dowd était plus réservé que McGuire, mais très sympa aussi. Très vieille Irlande.

Quand ils furent suffisamment loin de l'hôpital, noyés dans la végétation luxuriante, James McGuire cessa de pousser le fauteuil roulant.

— Bon, Janie, fit l'homme au visage rougeaud, avec un sourire. Si vous voulez marcher, vous pouvez marcher. Vous n'allez pas rester là-dedans. Moi, en tout cas, je n'ai plus envie de vous pousser.

Ils poursuivirent donc leur chemin en marchant tranquillement. Il y avait de plus en plus d'oiseaux de toutes les couleurs, de lézards, de grenouilles arboricoles, de pagules. Une petite mangouste ordinaire cherchait dans l'herbe un serpent à se mettre sous la dent.

Et au bout de l'allée sinueuse, ils découvrirent un espace dégagé, balayé par la brise.

Les deux enquêteurs du FBI, aussi bien que Jane, poussèrent des soupirs de plaisir et d'étonnement. Devant eux miroitait l'infini, un océan bleu roi.

— Vous savez, ce coin est tellement beau que je crois que j'y serais forcément heureux, lâcha finalement James Dowd. Ce qui n'est pas très logique, j'en ai bien conscience.

— Vous allez finir par vous laisser piéger et vous installer ici, plaisanta Jane. Vous allez démissionner et vous allez quitter James !

Soudain, sans crier gare, trois individus surgirent derrière la broussaille et les rochers. Ils portaient des coupe-vent verts et des polos boutonnés jusqu'au col.

— On ne bouge plus ! cria l'un d'eux.

Au même moment, un pistolet-mitrailleur Uzi donna de la voix. Il était entre les mains d'un grand blond.

Dowd et McGuire basculèrent en arrière, dans les hautes herbes. Puis deux hommes se précipitèrent sur Jane. Tandis que l'un lui maintenait les bras, l'autre pressait un mouchoir mouillé sur son nez et sa bouche.

Comprenant que le cauchemar recommençait, au bord de la folie, Jane se mit à pousser des hurlements inimaginables.

On lui passait le tissu trempé sur le visage, et elle essayait de mordre la main qui le tenait. On lui tirait la tête en arrière, contre le sol. Et son bras finit par casser comme une branche morte sous la pression d'une lourde cuisse.

Ensuite, il n'y eut plus que le mouchoir blanc qui l'étouffait, l'odeur acide et suffocante. Jane avait l'impression d'être prisonnière d'un pot de colle géant.

Et elle finit par abandonner. Le ciel bleu, le soleil, ces visages mauvais ou apeurés qui passaient au-dessus d'elle. L'Anglais blond. Ici... Elle pensa à Peter. Commença à pleurer. Se faisait l'effet d'une gamine impuissante sous leurs bras, leurs jambes, leurs ventres...

Puis elle mordit violemment un gros pouce, un pouce affreux.

— Ne te débats pas, putain ! criait quelqu'un.

— Elle me mord la main, la salope ! hurlait l'autre.

Des gens de l'hôpital – des médecins en blouse blanche, des infirmières – apparurent à l'autre bout du terrain.

C'est alors que Clive Lawson se pencha pour tirer une balle dans la tempe de la jeune femme qui se débattait.

Jane avait cru voir le grand blond se pencher sur elle. Il n'était pas aussi bel homme qu'elle l'imaginait... elle voulait serrer Peter dans ses bras une dernière fois. Puis toute cette histoire lui parut tellement idiote, tellement nulle... Puis il n'y eut plus rien du tout.

Jeudi 10 mai 1979

Les mailles du filet se resserrent.
Des milliers de personnes bloquées.

26

Le rôle que j'étais censée jouer à Washington et en Europe du 6 au 9 n'était pas, à proprement parler, un rôle. J'étais dans mon élément, je m'étais toujours vue faire ça... Prendre un verre au Gralyn, tranquillement. Regarder un étudiant manger son sandwich, dehors. Me dire que Port-Smithe était quasiment parfaite. Penser au Solitaire de Coastown. A Nickie Handy. A Damian... Des réflexions étranges. Comme si je m'imaginais être encore en vie un an plus tard, jour pour jour... Est-ce le cas ?

Carrie Rose, *Journal*

10 mai 1979, Washington

Mardi matin. Le dixième jour de la saison.

A 10 heures heure locale, 9 heures à Washington, Mme Susan Chaplin prenait son petit déjeuner dans le cadre ô combien charmant du jardin de l'hôtel Gralyn, sur N Street.

Elle portait un chemisier et un foulard crème, une jupe bleu marine, des mocassins bleu et blanc, de grosses lunettes de soleil dans les cheveux.

Elle jouait avec ses brioches chaudes, son haddock de Finlande à la crème, et une prostituée londonienne dont le nom d'artiste était Betsy Port-Smithe.

Mme Susan Chaplin était le nom d'artiste de Carrie Rose.

— Ce que je voudrais, expliqua Carrie qui regardait un hippie manger un sandwich boursouflé de l'autre côté de la haie élégamment sculptée, est un petit peu, comment dire… particulier.

— Particulier ? (Port-Smithe haussa les épaules.) Voyons. Je suis trop jeune et trop bonne pour prendre des coups. Quelle que soit la somme, madame Chaplin. Que voulez-vous dire par « particulier » ? (La jeune femme, grande, aux cheveux blond-roux se mit à rire.) Vous voulez que je sorte d'une pièce montée, à la fin d'un dîner de bienfaisance ?

Carrie Rose se mit à rire, elle aussi.

Quand Port-Smithe commença à glousser, certains regards se tournèrent discrètement vers les deux jeunes femmes. Derrière elles, il y avait un fond de parasols verts et les premières demeures de Georgetown. Elles ne détonnaient pas dans ce cadre cossu autrefois fréquenté par les diplomates. On aurait même pu les croire sœurs. Elles se ressemblaient de manière étonnante.

Un serveur diligent escamota leurs assiettes (poisson fumé, céréales, porridge) et déposa au milieu de la table une corbeille chargée de beaux raisins et de poires à la peau brillante.

— La semaine prochaine, reprit Carrie, alias Mme Chaplin, quand elles eurent fini de rire, je ne sais pas exactement quand, mon mari, Damian, doit venir ici, à Washington. Il avait toute une série de rendez-vous d'affaires plus stressants les uns que les autres dans les Caraïbes… Damian vend des vêtements. Des vêtements de luxe pour femmes.

« Enfin, bref, pour des raisons personnelles, je ne pourrai pas être là à son arrivée. En tout cas, je ne peux passer toute la semaine à l'attendre…

Port-Smithe se figea, un grain de raisin entre le pouce et l'index, les lèvres délicieusement ourlées.

— Et alors… ?

— Alors j'aimerais que vous soyez là pour accueillir Damian à ma place… je voudrais que vous le retrouviez au St James, et que vous passiez une nuit avec lui si je ne suis pas là. C'est tout.

— Avez-vous une idée de ce que je pourrais facturer ? demanda Betsy Port-Smithe. Une semaine à attendre ?

— Non, mais je suis prête à vous verser deux cents dollars par jour. Plus la chambre au St James et les repas… Vous êtes libre comme l'air jusqu'à l'arrivée de Damian. Vous pouvez même prendre des clients, si vous voulez. Je veux dire, je sais parfaitement que vous êtes très douée, Betsy. C'est tout l'intérêt de la chose.

La call-girl londonienne se dit, avec un sourire, qu'elle avait compris... Cette jeune et pimpante Américaine rêvait d'une petite expérience à trois, mais n'avait pas le courage de demander. Pas de problème...

Port-Smythe leva sa tasse de café enrichi d'un trait d'eau-de-vie.

— A Damian.

— A Damian.

Carrie esquissa un sourire. L'évolution de son partenariat lui paraissait de plus en plus prometteuse.

Dans l'après-midi, elle se rendrait à l'aéroport international Dulles pour prendre un avion.

Destination Zurich.

Où l'attendaient l'argent, le pouvoir, et tous ces merveilleux petits lutins qui faisaient tourner le monde à un rythme si frénétique.

Carrie avait parfaitement conscience du fait qu'il ne lui restait qu'un jour. Une trentaine d'heures pour battre à leur propre jeu plusieurs personnes qui se prenaient pour des génies. Et qui étaient toutes de sexe masculin.

Coastown, San Dominica

Peter Macdonald bénéficiait d'une planque de luxe : une immense suite aux Coastown Golf and Racquet Condominiums. Un appartement de sept pièces.

Des agents de la CIA assuraient sa protection. Cinq au minimum – l'élite du secteur Caraïbes. Ils mangeaient sur place, dormaient sur place, lisaient *Penthouse* et des romans d'Alistair Maclean pour passer le temps.

Le premier jour, ils étaient huit. Et trois fois plus à l'extérieur, en voitures de golf, à quadriller jusqu'à l'aube les belles pelouses. La cause était entendue : il faudrait quasiment une armée pour sortir Macdonald d'ici vivant.

Il y avait trois salles de bains. Dans sa grande baignoire de marbre rose, Peter faisait la planche. L'eau était bien chaude. Il éprouvait une étrange sensation... Mercredi après-midi, il avait eu l'impression que sa tête claquait comme une vieille ampoule.

Ce policier noir, près du *Fish 'n Fool*, qui le tenait par les épaules et lui soufflait bruyamment : « Jane a été tuée ce matin. Je suis absolument désolé, monsieur. »

Clac.

Comme un os qui se brise, un tendon qui se déchire. Peter n'avait jamais soupçonné que sa tête était aussi fragile.

Non qu'il ne pût exister sans Jane. Il survivrait. Il l'avait fait durant plus de vingt ans avant de la rencontrer… Mais il se voyait mal, sans elle, ne pas perdre son équilibre.

L'équilibre n'avait jamais été son fort, de toute manière. Garder les pieds sur terre, s'adapter, se satisfaire. Et non crever de solitude, ou se précipiter à West Point pour que votre père vous aime enfin.

Six heures quinze sur sa vieille Timex. Dix jours s'étaient écoulés depuis le début des événements.

Les piques rouges du soleil transperçaient le store de la salle de bains. Dehors, on jouait déjà au tennis… bom… bom… bom… encore des agents de la CIA, sans aucun doute.

Tout le monde se donnait un mal fou pour lui faire plaisir. La police san dominicaine comme la CIA. La veille, ils l'avaient laissé tranquille toute la soirée, en évitant de le harceler de questions…

Il avait passé presque toute la nuit seul dans sa chambre, dans le noir. Il n'avait quasiment pas touché à son plateau-repas. Une énorme entrecôte, des pointes d'asperges, des fraises Melba. Il se faisait l'impression d'un gosse abandonné dans une immense maison. Il revoyait Jane, leurs premiers moments ensemble, avec une netteté quasiment photographique. Trois jours sans se quitter, à faire la traversée de l'île, alors qu'ils se connaissaient à peine. Trois jours sur un petit nuage. Une rencontre magique, de celles qu'on ne peut faire qu'en vacances, loin de chez soi. Il avait beaucoup pleuré. Elle lui manquait tellement…

Peter se tourna dans l'eau savonneuse, encore brûlante. Drôle de sensation, avec le souffle de la climatisation toujours à fond. Comme s'il était sous les draps, en plein hiver, la fenêtre ouverte… Tout lui paraissait bizarre, irréel ; il n'avait plus aucun repère.

Dans sa tête, ça avait fait *clac*. Plus de son, plus d'image.

Mais l'important n'était pas là.

Ce qu'il voulait, désormais, c'était prendre sa revanche. Il ne pensait plus qu'à ça depuis la veille. Pour une fois, tout devenait merveilleusement simple. Il n'avait plus qu'un seul objectif : retrouver le mercenaire blond. Lui faire sauter la cervelle. Lui faire ce qu'il avait fait à Jane, mais en prenant son temps.

Un détail important lui vint à l'esprit : il pouvait sans doute s'épargner la peine de rechercher l'Anglais. Un beau matin, il lui suffirait de lever la tête, et le type serait là. Comme à Turtle Bay.

A neuf heures, Damian entra dans une église de Coastown, prit place sur un banc et étudia les lieux.

Un petit Noir s'avança, et Damian lui fit la grimace la plus terrifiante qu'il pût imaginer. Le gamin éclata d'un rire strident. Les fidèles se retournèrent, prêts à protester, mais ils sourirent à leur tour.

Pendant ce temps, le tueur à gages anglais chargé de brouiller les pistes passait à la vitesse supérieure.

Il s'évertuait également à donner un peu de relief au personnage de Damian, jusque-là relativement lisse et sans substance. Grâce à Clive Lawson, Rose allait bientôt être catalogué comme un grand pervers.

Assis sur l'une des terrasses de pierre de l'hôtel Royal Caribbean, qui avait connu des jours meilleurs, Lawson regarda un joli petit bus multicolore ferrailler en direction de Coastown sous un ciel chargé de gros nuages pommelés.

Face à lui, dans un fauteuil en osier blanc sérieusement défoncé, une jeune fille de dix-sept ans entièrement nue exposait d'une voix féline ses théories psychédéliques sur l'orgasme organique, un fatras d'élucubrations qui faisaient la part belle à la secte Moon et aux écrits de Castaneda. Elle avait une poitrine d'adulte, une longue chevelure noire striée de mèches grises, un visage long, lui aussi, sec et très typé.

— C'est comme si... comme si des pigments safran et ocre se mélangeaient à l'intérieur de mes paupières, susurra-t-elle d'une voix qui conférait à ses révélations un indéniable pouvoir érotique.

Et, disant cela, elle s'enfonça deux doigts entre les cuisses.

Clive Lawson regarda les doigts de la fille aller et venir, aller et venir, telles deux longues jambes marchant dans l'herbe des dunes. Il se masturba très lentement, des deux mains.

La fille s'appelait Stormy Lascher. L'acide et la psilocybine lui avaient grillé la moitié du cerveau. L'autre moitié, elle l'avait perdue en travaillant dans un salon de massage du Commodore Hotel, à New York, un établissement devenu depuis respectable.

Elle était en train de découvrir que l'Anglais blond, pour être un vieux cochon macho de trente-trois balais, n'en avait pas moins une intéressante queue de Capricone, bien musclée, avec de jolies veines bleues et un gland combatif. Un équipement qui ne souffrait pas de la comparaison avec les petits missiles, plus minces, des étudiants de Sunshower Beach, toute proche.

— Je sens que je vais jouir, piailla la fille en pointant vers le ciel ses pieds aux ongles argentés, telle une danseuse de ballet. Oh, oh, oh…

Stormy se mit à trembler, à gémir, puis elle approcha de son petit nez une longue ampoule de nitrite d'amyle. Lorsqu'elle la brisa, elle entendit l'homme blond déclarer : « C'est moi, le type qu'on recherche. L'Anglais. Tu vas pouvoir mettre ça dans ton livre de souvenirs, Storm. »

La fille à la longue chevelure hocha la tête, puis elle ne vit plus qu'un éblouissant kaléidoscope de couleurs.

A dix heures, le tueur anglais avait pris la route de Coastown. Une autre cible l'attendait.

A dix heures, sur la terrasse de la chambre 334, Denise « Stormy » Lascher hurlait comme la folle furieuse qu'elle finirait par devenir.

Peu après onze heures, la police, l'armée et la CIA déferlaient sur le Royal Caribbean comme des fourmis lancées à l'assaut d'un château de pain d'épice. Harold Hill et Brooks Campbell déboulèrent dans le hall rococco. Campbell était armé d'un M-16. Après avoir bloqué les ascenseurs, les policiers entreprirent de fouiller le vieux palace des caves aux mansardes.

Hill, Campbell et le Dr Johnson montèrent directement à la chambre 334 où était détenue Denise Lascher. La jeune fille hystérique leur déclara que l'individu avait dû partir juste avant l'arrivée de la police. Elle ne savait pas trop… Oui, il était grand, il avait les cheveux blonds. Comme Michael Caine, leur dit-elle. Non, elle ne se souvenait pas l'avoir entendu dire quelque chose de spécial. Juste que c'était lui, le tueur à la machette que tout le monde recherchait.

Harold Hill examina le contenu des corbeilles dans la chambre et la salle de bains. Il y découvrit des paquets de Dunhill vides, des mégots de joints de marijuana, une boîte de cartouches Remington vide, une boîte de préservatifs fantaisie. Des détritus.

Meral Johnson, lui, avait déjà lancé un avis de recherche. Selon le registre de l'hôtel, le suspect conduisait en effet une Ford Mustang bleue de 1979, immatriculée 3984-A.

Johnson demanda à ses hommes d'interroger un maximum de

clients et d'employés de l'établissement, avec l'aide des enquêteurs américains. Et il fit établir des barrages sur toutes les routes autour de Carolinsted et des villages voisins.

Le Dr Johnson avait le sentiment qu'enfin, peut-être, la chance allait lui sourire. Il n'avait pas fermé l'œil depuis deux jours. Pour lui bien plus que pour les autres, selon lui, le mercenaire blond était devenu une obsession. Johnson en était persuadé : il était le seul à avoir compris que le grand blond venait de détruire San Dominica.

Devant l'hôtel, adossés à la rambarde en bois flotté, Campbell et Harold Hill fumaient cigarette sur cigarette.

Campbell balança son mégot sur le sable de la plage.

— Je ne sais pas quoi dire, pour Carole. Je suis désolé. J'espère que tu me comprends, Harry.

— Je crois que tu es surtout désolé de ne pas savoir quoi dire, rétorqua Harold Hill avec un sourire cruel. Et que ça s'arrête là.

Le regard de Campbell balaya les eaux turquoise, presque rassérénantes, de la mer Caraïbe.

— Et pour Macdonald, que fait-on ?

— Si on met la main sur Rose, Macdonald l'identifiera. Je me vois mal le faire à partir du portrait-robot… Je pense que nous pourrions aussi utiliser Macdonald pour essayer d'attirer Rose. Mais il faut que ce soit fait discrètement.

— A mon avis, ce ne sera pas nécessaire. Rose va sûrement tenter de le descendre de toute façon. Sinon, pourquoi serait-il encore ici ?

Harold Hill leva les mains, paumes vers le ciel. Il ne savait pas.

Ils remontèrent. Sur l'immense pelouse de l'hôtel, un hélicoptère Puma les attendait. A leur approche, des hommes en combinaison bleue retirèrent les cales et détachèrent les filins de l'appareil.

— On l'aura bientôt retrouvé, déclara Harold Hill. A moins que ce ne soit le contraire.

A onze heures, Peter fit sa première déposition. Il y en aurait quatre, qui s'ajouteraient aux huit milliards et demi de dossiers figurant déjà dans les archives de la CIA.

Il parla sans s'arrêter durant une heure et demie. Deux spécialistes des interrogatoires aux allures d'intellos branchés, venus tout exprès de Washington, enregistrèrent ses déclarations sur un magnétophone Sony à bandes. Il leur parla de son odyssée dans la jungle des West Hills, de tout ce qu'il avait vu à Turtle Bay, de son opinion à l'égard du gouvernement après le Watergate, après le Cambodge, après la mort de Jane…

Bref, les deux hommes essayaient de déterminer si Peter allait leur poser un problème.

A midi et demi, un dessinateur de la police commença à établir un portrait-robot de Damian Rose basé sur les images que Peter avait eu le temps de graver dans sa mémoire en l'espace de quinze secondes, ce fameux jour, sur la route longeant la côte.

A une heure, dans les bureaux de la société Alcoa Aluminium, ses interrogateurs tiraient des photocopies en couleurs. Le portrait du grand blond était assez ressemblant.

A la même heure, Peter demanda à la CIA s'il pouvait avoir une arme pour se défendre. Demande refusée.

A deux heures, il quitta sa résidence de luxe sous la protection d'une nuée d'agents. Brusquement, les choses s'accélérèrent. Tout devint flou. Tout allait beaucoup trop vite.

Ils prirent l'ascenseur, sortirent du hall, traversèrent un jardin au pas de course. Rejoignirent une Ford grise aux ailes surmontées de petits drapeaux américains. S'engouffrèrent finalement dans une Mercury Cougar bleue qui grondait derrière les barreaux de sa calandre étincelante.

Les quatre portières se refermèrent en même temps, et la berline bondit. Les palmiers et les casuarinas défilèrent à toute vitesse. Dans un hurlement de pneus, la Cougar retrouva Orange Boulevard, où des Noirs indifférents vendaient sur le trottoir bananes et papayes.

Destination l'église des Anges. Où les attendaient de nombreuses victimes des attentas, parmi lesquelles Jane.

A l'arrière, les bras croisés et la tête embrumée, Peter se demandait pourquoi ses anges gardiens avaient choisi de le conduire à l'église en plein jour. Puis il pensa à autre chose. Revit l'image de Jane par intermittence, comme une enseigne au néon. Revit l'homme blond de Turtle Bay. Se revit chevauchant le vélo Peugeot vert métallisé.

— Ça va aller, Pete ?

— Ouais, ouais. C'est juste que je me disais…

C'était une église de taille moyenne. Harold Hill et Brooks Campbell attendaient dans la sacristie. Ils portaient des costumes d'été aux tons sobres, arboraient l'air grave qui convenait.

Ils évoquaient d'importants problèmes de logistique avec un prêtre oblat, le père Kevin Brennan. Ils voulaient connaître l'emplacement de toutes les portes situées sur les côtés et dans le fond. Savoir où la presse pourrait prendre des photos sans gêner les accès. Où un tueur professionnel – « si un tueur professionnel avait ce projet, mon père » – aurait pu éventuellement se dissimuler.

La foule rassemblée devant l'église commençait à entrer. Dans cette foule, il y avait notamment Clive Lawson et Damian Rose.

Quand la Mercury de la CIA arriva devant le portail, Peter se fit la réflexion que, pour un tireur embusqué, cette mini-cathédrale pouvait représenter un site intéressant. Une foule de badauds à demi demeurés, des rues très encombrées, une ambiance de carnaval.

En débarquant de la Mercury, il entendit les incantations de la populace.

— Etats-Unis. Assassins !

— Etats-Unis. Assassins !

— Hailé Sélassié !

— Hailé Sélassié !

Il contempla la marée de visages noirs, tous ces longs cous aux veines saillantes, tous ces gens qui essayaient de savoir ce qui se passait sur leur île.

Quelle drôle de climat. Par certains côtés, Peter se serait cru à Saïgon, en 73. Il avait envie de prendre un micro pour expliquer à tout le monde que les Américains, pour la plupart, étaient des gens tout à fait corrects. Qu'ils ne voulaient pas faire main basse sur toutes les réserves de bauxite de l'île. Qu'ils n'avaient pas l'intention de faire du mal à qui que ce soit. Point final.

Cinq hommes en complet sombre et chemise blanche bien repassée l'accueillirent sur les marches de l'église. Brooks Campbell. Le Dr Johnson. Harold Hill. L'ambassadeur américain en personne.

Un jeune prêtre prit Peter par le bras. Condoléances, excuses embarrassées. Puis, très vite, la cohorte s'engouffra dans l'église.

Un caméraman de la télévision suivait le groupe, tant bien que mal, tel un oncle fier d'assister au mariage de sa fille.

Deux Marines armés de pistolets-mitrailleurs MAT fermaient la marche.

Peter avait remis sa vieille casquette de base-ball. Comme les Bérets Verts aux enterrements. Rien à foutre, de vos règles à la con, de vos conventions. Allez vous faire foutre !

— Pas ici, Peter, chuchota le prêtre. La casquette. S'il vous plaît.

Peter n'entendait que le bruit des cercueils de bois brut qu'on était en train de déposer, sur deux rangées, devant l'autel. Ils renfermaient des corps qui n'avaient toujours pas été réclamés après le massacre d'Elizabeth's Fancy. Les deux agents abattus à l'hôpital de Mandeville. Et dans l'un des cercueils provisoires de la Croix-Rouge se trouvait la dépouille de Jane.

— Je comprends ce que vous ressentez, Peter, mais vous manquez de respect envers Notre-Seigneur.

— Je pense que Notre-Seigneur s'en fiche royalement. Et si ce n'est pas le cas, de toute façon, je ne fais pas partie de ses clients.

Finalement, le père Brennan désigna un cercueil, à la droite de l'autel aux ors et aux pourpres rutilants.

Peter s'arrêta. Il y avait un carton devant le cercueil. JANE FRANCES COOKE.

Il regarda la rangée des officiels représentant la police et l'ambassade. Etaient-ils en train de prier ? De réciter leur serment d'allégeance ?... Cette scène lui rappelait un reportage, dans un journal télévisé, au lendemain d'une tragédie. Des centaines de corps allongés dans la cantine d'un lycée. Des gens en pleurs, à la recherche d'un ami, d'un proche. Le viol des caméras, dans ces instants de douleur.

— Vous ne l'ouvrez pas ? finit-il par demander au prêtre. J'aimerais la voir une dernière fois, s'il vous plaît.

— Ce n'était pas prévu, murmura le prêtre. Les conditions ne sont pas idéales, Peter.

— Je voudrais la voir. Je crois que nous sommes tous en mesure d'encaisser.

— Vous voudrez bien retirer votre casquette ? répéta le prêtre.

Peter enleva sa casquette de base-ball, et l'oblat consentit à soulever le couvercle quelques instants. Ce n'était pas une très bonne idée, selon lui, mais le chef de la police était d'accord, l'ambassadeur des Etats-Unis était d'accord, et le jeune Américain semblait savoir ce qu'il voulait...

Le cercueil s'ouvrit bruyamment.

Peter baissa les yeux et vit une jeune femme presque méconnaissable, qui lui parut étonnamment petite... Jane donnait l'impression d'avoir été maquillée avec du fond de teint et du rouge à lèvres pour personne âgée. Ses longues mèches blondes et bouclées paraissaient raides et cassantes, comme les faux cheveux d'une poupée. Et la robe qu'elle portait n'était même pas l'une des siennes...

Oh, mon Dieu, non, non, se répétait Peter. *Oh, non, non, mon*

Dieu. Sans tous ces enfoirés qui le regardaient, il aurait laissé couler ses larmes.

Au même moment, Damian regardait le tueur anglais installé en surplomb, dans la galerie du chœur, trois rangées plus haut. Quatre mètres à peine le séparaient de Clive Lawson.

Le tueur de haut vol avait eu une occasion de tirer, mais il avait résisté à la tentation. Ce qui était relativement judicieux, selon Rose, qui se livrait à de savants calculs. Cette église était un lieu intéressant pour frapper de manière spectaculaire, au moment où les gens s'y attendaient le moins, mais ce n'était pas forcément la solution idéale. N'empêche que moi, je l'aurais fait ici, songea Damian. Peut-être au moment de la sortie...

Il étudia Macdonald planté devant le cercueil de sa copine, il regarda Brooks Campbell, Hill – toutes ces proies faciles.

Et il ne tarda pas à voir Clive Lawson descendre tranquillement de la galerie, puis quitter l'église. Avec son look sombre et mal dégrossi, assez contemporain, on aurait pu le prendre pour un journaliste. Ou un type des services secrets, chargé de la protection rapprochée des personnalités. Pas mal, comme déguisement, pour voyager en toute discrétion.

De toute évidence, il allait falloir attendre encore un petit peu le grand final, le coup de grâce.

Damian quitta l'église des Anges avec le gros de la foule. Etrange spectacle que celui de cet homme, avec son pantalon jaune flottant, son ombrelle, et le bonnet de bouffon qu'il tenait respectueusement à la main.

Presque aussitôt, il vit fondre sur lui une meute de gamins qui voulaient absolument jouer avec Basil, le Ménestrel des enfants.

Jeudi soir.

Tout au long de la journée, l'île de San Dominica avait été passée au peigne fin comme elle dut l'être au soir du massacre d'Elizabeth's Fancy.

Tous les patrons de magasins, de cafés, de tavernes, tous les propriétaires privés s'étaient vu présenter le portrait-robot établi à partir de la description fournie par Peter.

Des équipes composées de policiers locaux et de U.S. federal marshals avaient fait le tour de tous les motels, hôtels, auberges, chalets, haciendas, villas, lodges, casas et résidences diverses, que leur clientèle fût noire ou blanche. Les gangs de Rude Boys, eux-mêmes mis à contribution, étaient allés à la pêche aux renseignements dans les grandes villes, chez les dealers de ganja et de cocaïne. Des milliers de touristes et de résidents avaient été retenus dans les aéroports, sur les quais d'embarquement, ainsi qu'aux principaux barrages routiers établis dans toute l'île.

Damian Rose et Clive Lawson demeuraient pourtant introuvables. A l'instar de criminels de guerre nazis comme Martin Bormann ou Mengele, ils avaient l'art de passer au travers des mailles du filet.

De La Baie des Cochons II, on allait bientôt passer à La Baie de la Panique.

Ce soir-là, à dix-neuf heures, un spécialiste des communications, Harvey Epstein, se dit qu'il tenait enfin quelque chose. La première avancée significative depuis le début de la chasse à l'homme.

Au moment de cette découverte, Epstein était en train de faire une réussite aux cartes sur le plancher d'un combi Volkswagen garé à environ trois cents mètres d'une grande villa appartenant à la famille Charles Forlenza, propriétaire des hôtels Sunasta. Epstein avait mis les lignes téléphoniques des Forlenza sur écoute. En toute illégalité.

Depuis deux jours, les seules communications qu'il avait surprises étaient les commandes passées par la cuisinière, qui se fournissait en produits frais au Coastown Gourmet Market, et riait chaque fois comme une demeurée. Quand le téléphone sonna à sept heures du soir, Harvey eut une subite fringale.

Il colla l'un des écouteurs contre son oreille gauche, retourna un as de trèfle. Attendit.

— Allô.

La première voix qu'il enregistra était celle d'un truand du nom de Duane Nicholson. Nicholson, le type qu'Isadore Goldman avait emmené avec lui au palais du Gouvernement le 6 mai.

Epstein attribua la deuxième voix à Damian Rose.

— Le petit coup de pouce dont je vous ai parlé, je vais en avoir besoin, dit Rose. A vous de faire votre boulot.

— Demain, c'est ça ? demanda Nicholson.

Clic. Plus rien.

— Putain ! Harvey ! Putain !

Moins d'une heure après, Campbell et Harold Hill écoutaient la bande, à Coastown.

— Intéressant, commenta Campbell, qui avait reconnu la voix feutrée. C'était Rose.

Toujours logé au Golf and Racket Club sous haute protection, Peter regardait le journal télévisé de l'unique chaîne insulaire. L'image était d'une qualité médiocre.

Pour la première fois depuis deux jours, il avait les idées assez claires pour imaginer le coup de feu d'un tireur embusqué, et les effets de la balle. Le cauchemar de tous les présidents... le pare-brise qui explose, les quinze grammes d'acier qui vous perforent le front à mille mètres à la seconde. De quoi devenir fou, de quoi avoir envie de gerber.

A vingt heures trente, il téléphona à sa famille, à Grand Rapids.

Betsy Macdonald ne comprenait pas pourquoi on n'avait pas rapatrié son fils à bord de l'avion présidentiel.

— Dis-leur de te mettre dans le premier avion. Ils t'ont déjà fait assez subir. S'ils ont encore d'autres questions à te poser, ils n'ont qu'à venir ici. T'as qu'à leur dire ça, Peter...

Le père de Peter voulait connaître le fin mot de l'histoire. Il en avait parlé avec son ami le sénateur Pflanzer, et Pflanzer voulait savoir, lui aussi.

— Pete, ne prends pas de risques pour les beaux yeux de ces enfoirés, l'exhorta le colonel Edward Macdonald, alias Big Mac. Ils ne font plus rien pour nous, ces connards du gouvernement. On ne leur doit absolument rien. Je pèse mes mots.

Peter écoutait et, parfois, réussissait à placer un mot. Il essayait de se représenter Bic Mac et Petite Betsy. Il les voyait une dizaine d'années plus jeunes qu'ils ne l'étaient. Il voyait les Super Six en train de prendre la pose comme une équipe de hockey prête à en découdre.

— Je vais essayer de rentrer dès que je peux, répondit-il à son père. Dis-le à maman. Dis-le aussi à mes frères. Vous me manquez tous énormément. C'est vrai.

Après avoir raccroché, toujours dans la pénombre de la chambre de son palace pseudo-tropical, Peter se remit à gamberger.

Il imagina un coup de pistolet, au ralenti. Une balle en plein front, à bout portant. Un peu comme la célèbre photo du Vietnamien exécuté en pleine rue. La tête du grand blond pulvérisée.

A 1 h 30 du matin, l'un des agents de la CIA entra dans la chambre. C'était un petit Italien qui passait son temps à imiter Peter Falk.

— On va vous déplacer, Pete. Préparez-vous.

Il s'habilla, se mit en condition. A quoi bon s'alarmer ou s'énerver maintenant ? Plus rien à foutre.

Trois agents armés de fusils d'assaut l'escortèrent jusqu'au break qui les attendait, moteur en marche.

Une brève bouffée d'air frais. Bien iodé. Aucun coup de feu ne claqua dans l'ombre des palmiers.

On le conduisit jusqu'à l'hôtel Dorcas, à Coastown, dans un silence lugubre. Il ne posa aucune question, on ne lui donna aucune explication. Pas de baratin, d'un côté comme de l'autre.

Le type de la CIA aux cheveux grisonnants, Harold Hill, l'attendait à l'intérieur de sa nouvelle suite. Elle était assez agréable, façon Holiday Inn.

— Ma famille a porté officiellement plainte auprès du Département d'Etat, déclara Peter à Hill et à Brooks Campbell, dans le salon – un mensonge aussi simple qu'efficace. La plainte a été transmise au sénateur Pflanzer. Si vous ne m'en dites pas plus sur ce mystérieux tueur blond, je vais vous forcer à me rapatrier. Vous connaissez la musique – « Le Héros du Vietnam révèle les magouilles de la CIA ! »

— D'accord, d'accord, fit l'homme aux cheveux gris, auquel Peter trouvait des allures de prof discret. On va s'asseoir et discuter un peu, Peter.

A deux heures du matin, Peter Macdonald fut officiellement admis à participer à la chasse à l'homme.

Peu après, le chef de la police arriva au Dorcas. Etrange personne que ce Noir volumineux ! Le Dr Johnson s'installa sur le divan. S'il était venu, c'était pour parler à Peter. De la première faute commise par son constable à Turtle Bay, des erreurs qu'il avait lui-même faites au cours de cette difficile enquête, de la nuit qu'il avait passée auprès de Jane, à l'hôpital de Mandeville.

— Chez moi, je n'arrivais pas à dormir, expliqua enfin l'aimable San Dominicain. Je me suis dit que vous comprendriez.

— Je comprends, sourit Peter. Je crois que cette nuit va être affreusement longue. Je suis content que vous soyez venu, Dr Johnson.

27

Avant notre départ pour San Dominica, au cours des derniers mois, Damian en était arrivé à se négliger. Il avait le regard vide, il était distrait. Il ne se coiffait quasiment plus. Il passait des journées entières sans mettre le nez dehors, et se baladait dans l'appartement en pyjama, un pyjama de soie, mais froissé. Les grands criminels étaient devenus son obsession... Un soir, en rentrant, je l'ai trouvé en train de lire un livre intitulé *De l'agression*, à marmonner des trucs sur les rats et les aigles. Plus tard, il s'est mis à lire *La Montée et la Chute du IIIe Reich*. Et beaucoup de livres nazis par la suite. La race des grands criminels, il les appelait.

Carrie Rose, *Journal*

Trelawney, San Dominica

Dans sa petite chambre, à la lueur d'un téléviseur en noir et blanc, Damian nettoyait un M-21, une arme de tireur d'élite.

Il commença par sortir la goupille du bloc de verrouillage pour ouvrir le fusil. Puis il enleva la culasse, la démonta, enleva le percuteur et sa sécurité.

De temps à autre, il relevait la tête pour regarder quelques images du Hitchcock, *Les Enchaînés*, qui passait – tant bien que mal – sur la chaîne de télévision san dominicaine. Lui, se disait-il, il aurait bien mieux joué que Cary Grant, toujours aussi raide. En revanche, égaler le jeu de Claude Rains ou d'Ingrid Bergman lui aurait été difficile.

C'étaient des perfectionnistes. Ils auraient sans doute fait merveille dans le rôle de Basil, le Ménestrel des enfants.

Une fois le M-21 nettoyé et remonté, il alla dans la salle de bains et y passa une bonne heure. Il mélangea deux teintures, Quiet Touch et Miss Clairol, pour donner à ses cheveux une coloration « bleu nuit », à en croire la notice. Avec quelques mèches grises. Sa couleur de cheveux naturelle.

Il ne restait désormais plus qu'un seul grand blond anglais : Clive Lawson.

Et plus qu'un jour.

Enfin, Damian Rose sortit de son emballage de toile un coupe-coupe tout neuf, qu'il déposa délicatement à côté du fusil.

Puis le grand Américain aux cheveux noirs alla se coucher.

TROISIÈME PARTIE

Une fin idéale

Vendredi 11 mai 1979

Une fusillade fait quatre morts

11 mai 1979, Coastown, San Dominica

Vendredi matin. Le dernier jour de la saison.

Le Dr Johnson ouvrit son croissant, le fourra à la gelée de goyave, lança à Peter un regard en coin.

— La vie ici aurait pu être merveilleuse, fit Peter, désabusé.

Dans la lumière éclatante du matin, le jeune homme avait l'air très américain, avec son T-shirt vert vif plein de trous sur lequel on lisait SEE BEAR MOUNTAIN, son short froissé, ses pieds nus et sa vieille casquette de base-ball mangée aux mites.

Il frottait ses pieds l'un contre l'autre comme s'il cherchait à faire du feu.

— Nager, dit-il. Faire de la voile. Jouer au basket, si on est un récidiviste comme moi... se balader avec une casquette de base-ball comme si on avait retrouvé ses dix ans, sans se poser de questions... toutes ces géniales petites conneries qui ne servent à rien. Rien de très sérieux, vous comprenez. Des loisirs, quoi.

Le chef de la police commençait à sentir une immense fatigue peser sur ses épaules. Il déprimait. Il ne cessait de penser à la nuit qu'il avait passée à l'hôpital avec la jeune femme blonde. Et pour ne rien arranger, il se faisait autant de soucis pour l'Américain que si c'était son fils. Il l'aimait bien, Peter. Parfois, il avait l'impression qu'ils étaient tous les deux seuls contre le reste du monde.

— Cette île était comme ça, avant. Quand j'étais petit. Je ne sais pas si, dans le monde où nous vivons aujourd'hui, ce serait encore possible. D'être insouciant.

Peter acquiesça sans rien dire.

Un parasol à rayures jaunes les protégeait du soleil sur la terrasse de la suite, au quinzième étage de l'hôtel Dorcas. Sur celle d'en face, deux hommes de la CIA faisaient le guet. Avec leurs holsters d'épaule et leurs chemises blanches, ils semblaient sortis tout droit d'une vieille série télé. Derrière eux s'étendait Coastown, telle une fête foraine géante brillant de mille reflets. Un étage plus haut, le toit du Dorcas était jaune, jaune comme une dent en or. Il était trop pentu pour être accessible, avait décrété un expert en la matière.

Peter leva la tête pour contempler le ciel d'un bleu limpide. Pas le moindre nuage. Il laissa son esprit vagabonder. Les héros, les leaders, l'inspiration... Il se rappelait un séminaire auquel il avait assisté à l'époque où il ne gagnait pas encore sa vie. « La civilisation occidentale a-t-elle tué les héros ? » Quatre professeurs d'histoire et de lettres classiques avaient répondu en chœur, pour ne pas dire clamé haut et fort : « Oui ! Oui ! Les héros sont morts et enterrés ! »

Eh bien, non, les gens avaient toujours besoin de héros. Lui, en tout cas, oui... Ulysse, Churchill, Lincoln... ou quelqu'un d'autre, n'importe qui ! Ce crétin de Nixon. Gerald Ford. Putain ! Où étaient passés les leaders charismatiques ? Les héros ? S'il y avait des femmes capables de fantasmer sur Kissinger, Richard Nixon aurait au moins pu se hisser au rang d'être humain.

— Quel bordel, quel bordel, psalmodiait-il au rythme de ses mouvements de tête. Incroyable, non ? Pire qu'au Vietnam, et on a déjà pas mal dégusté là-bas. Ça craint, Meral, ça craint... Je n'arrête pas de m'imaginer que je vais retrouver Janie en vie.

Trelawney, San Dominica

Damian Rose passa les trois premières heures de la journée à remettre en état, tant bien que mal, un Bertram Sportsman de huit mètres qui avait beaucoup souffert.

Torse nu, vêtu d'un simple pantalon de coton, il réajusta d'abord les câbles de commande, puis changea toutes les bougies et enfin, régla le ralenti du moteur.

La mer était d'un beau bleu nuit en cette heure matinale, et la petite crique, avec son Technicolor flou, évoquait un film pseudo-branché, tourné avec un objectif vaseliné.

Elle offrait surtout l'avantage d'être masquée à la vue du trafic côtier par une petite pointe dévorée par les palmiers.

Tandis qu'il réglait le moteur, Damian repensa aux premiers jours de l'aventure qui allait bientôt s'achever. Ses promenades avec Carrie dans les jardins du Luxembourg, leurs après-midi à flâner aux Tuileries, place des Vosges, à traîner dans les cafés de Saint-Germain-des-Prés.

Lorsqu'il eut terminé, il descendit dans la cabine un réservoir d'essence supplémentaire et deux M-21. Il laissa la machette neuve dans le poste de pilotage.

Et quand, enfin, il consulta sa montre, il constata avec surprise qu'il était presque neuf heures. Autrement dit, Carrie devait être en route pour le Maroc.

Damian n'avait plus qu'à attendre. Il se mit à siffloter « Lili Marlène ». Une chanson magnifique. Une mélodie qu'il ne pouvait entendre sans penser à Carrie.

Zurich, Suisse

Face à elle, au Schweizer Kreditverein de Zurich, il y avait S.O. Rogin, cette espèce de nain boursouflé à la moustache rousse.

Elle portait un tailleur-pantalon bleu-gris et un turban Valentino assorti. Entre eux, sur la lourde table de marbre, trônait une mallette Hermès en cuir souple. Une nuée de particules brillait sous le grand lustre de cristal.

Rogin parlait anglais avec un fort accent suisse-allemand, et l'un de ses sourcils broussailleux, curieusement, prenait de la hauteur.

— Vous voudriez retirer la totalité des six cent vingt-neuf mille dollars ?

Carrie réfléchit un instant.

— Oui, la totalité, répondit-elle enfin, très business.

— Entendu. Très bien. Comment voulez-vous que nous procédions ?

L'Américaine sortit un paquet de cigarettes bleu – des gauloises. Le banquier tendit un gros briquet argenté. Une forte odeur de kérosène s'en échappa au moment où il alluma la cigarette. Puis le briquet se referma avec un petit claquement, comme une boîte à pilules.

— Que suggérez-vous ? demanda Carrie.

Le gnome obèse esquissa un sourire.

— Ce que je suggère ? Pour commencer, je suggère de virer directement les fonds à votre nouvelle banque. *Tout de suite*, madame Chaplin. Rien de plus facile. Pas de valises.

— Non. Malheureusement, il me faut l'argent en liquide, Herr Rogin.

— Hum, bien sûr, opina le rouquin. Dans ce cas, madame aura peut-être besoin d'un garde. Je vais vous expliquer la procédure, c'est très simple…

— Je m'en sortirai très bien toute seule, l'interrompit Carrie, avec un grand sourire. Si vous lisez dans *New Zurchen* qu'on a retrouvé un corps dans la rue, vous saurez que quelqu'un a essayé de me voler mon argent.

Le gnome, grand amateur d'histoires policières anglo-saxonnes, éclata d'un rire franc.

— On ne tue jamais personne, à Zurich, madame. En tout cas, pas de cette manière.

Et il partit faire le nécessaire.

En traversant le hall de l'élégant établissement, S.O. Rogin se demanda si la belle jeune femme était en train de prendre la poudre d'escampette à l'insu de son mari. Par certains côtés, elle lui rappelait Faye Dunaway. Dans *Windmills of the Mind*. Non, dans *L'Affaire Thomas Crown*. Un magnifique film dans lequel Steve McQueen dévalisait les banques de Boston, et réussissait à échapper à la justice.

Quarante minutes plus tard, Carrie Rose ressortait du Kreditverein avec une mallette Hermès bourrée de francs suisses. Un million cinq cent mille, soit l'équivalent de six cent vingt-neuf mille dollars. Elle commença à transpirer, à ressentir des picotements. A se méfier de tous les visages qu'elle croisait.

L'Américaine aux cheveux longs ne parcourut toutefois qu'une centaine de mètres après avoir traversé la Stampfenbachstrasse. Elle pénétra dans l'impressionnant immeuble de l'Union de Banques Suisses et là, redéposa tous les fonds.

Conformément à son plan.

28

Nous étions persuadés que, tôt ou tard, ils nous balanceraient Macdonald. Harold Hill est un cadre exécutif, et les bons cadres exécutifs sont des exécutants. Que leur esprit extrêmement logique rend prévisibles... Damian, lui, n'essaie jamais de deviner le tracé du labyrinthe ; ce qui l'intéresse, ce sont les rats...

Carrie Rose, *Journal*

Wahoo Cay, San Dominica

Vendredi après-midi

Sous un soleil de plomb, à quatorze heures, Damian flottait audessus d'un très joli banc de récifs coraliens.

Il bronzait à l'avant du Sportsman, en admirant le ballet saccadé des mulets et des bécassines de mer dans les eaux vert bouteille. Il pensait à ses prochaines retrouvailles avec Carrie. Le Maroc, la poussière, la casbah. Une conclusion parfaite, pour les deux maîtres d'œuvre de l'opération. Qui resteraient impunis.

Damian en avait la certitude : c'était le plus beau travail réalisé en indépendant depuis l'assassinat de Kennedy à Dallas.

Plus que quelques heures. Et de toute cette apparente confusion surgirait inévitablement un point bien précis dans le temps et dans l'espace.

En fait, le dénouement s'amorça de la plus discrète des manières, offrant un curieux contraste avec tous les événements précédents.

A 15 h 15, Peter sortit de l'hôtel Dorcas, escorté par le Dr Meral Johnson et Brooks Campbell.

Le jeune Américain portait un pantalon de coton gris et un blouson ample assorti. Sous ce blouson, il portait également un pistolet semi-automatique de fabrication allemande. Un Walther aussi solide qu'efficace. Un cadeau de la Great Western Air Transport, représentée par Harold Hill.

Les trois hommes montèrent à bord d'une large Dodge Charger dont le moteur tournait déjà. Campbell se retourna pour s'assurer qu'il n'y avait pas de tireur embusqué sur le toit, réflexe que Peter trouva presque amusant.

— Hé, c'est *notre* bastion, ici !

Leur destination était une villa, à l'extérieur de la ville, appartenant à la famille Charles Forlenza. Une grande baraque hollywoodienne, couleur flamant rose.

Campbell et Harold Hill espéraient désormais que l'homme qui occupait la maison – Duane Nicholson – contacterait ou serait contacté par Damian Rose. Cinq équipes surveillaient les lieux.

Officiellement, Peter était là pour aider à identifier les suspects, si nécessaire. Officiellement, il n'était pas armé.

Officieusement, Harold Hill avait sorti sa ligne. Rose goberait-il l'appât ?

Il pensa, lui aussi, à ce jour de novembre 1963. Quel cirque ! Et dire qu'au final, tout était rentré dans l'ordre. Raison d'Etat.

A dix-huit heures, à Washington, une certaine Mme C. Rose prit une chambre à l'hôtel St James. Il y avait du courrier pour elle. Des lettres de Damian. Des mièvreries d'adolescent, au goût de Port-Smithe.

A dix-neuf heures, à Zurich, dans sa suite d'hôtel, Carrie attendait. Elle regardait les cygnes glisser sur le lac, griffonnait des notes pour son journal, s'efforçait de régler tous les derniers détails comme l'aurait fait Damian…

A 19 h 45, un éclat de soleil couleur orange sanguine sombra sans laisser de traces derrière la villa Forlenza.

En regardant le sbire d'Isadore Goldman sortir de la grande maison de stuc, Peter sentit son cœur cogner, comme une étrange mise en garde. Il se dit que, pour lui, Isadore Goldman n'était qu'un nom, il se dit qu'il n'avait pas vraiment envie de mourir. Ce qu'il voulait, c'était abattre le grand mercenaire blond. Ce qu'il voulait, c'était rentrer chez lui, dans le Michigan. Comme à la fin d'un bon roman à suspense.

— Bleu, ici Drapeau Blanc, chuchota Brooks Campbell dans les crachotements de la radio. Vous êtes tous réveillés ?

— Peter ? (Meral Johnson fit un clin d'œil dans le rétroviseur.) Réveillé ?

— Il sort juste se taper un sandwich, répondit Peter, qui sentait l'air se charger d'électricité. Je suis parfaitement réveillé, Meral.

Et il sourit au gros policier. Ni l'un, ni l'autre n'adressa la parole à Campbell.

D'un pas décontracté et, aux yeux de Peter, totalement insouciant, Duane Nicholson traversa la pelouse. Avec ses mocassins indiens, son pantalon informe et sa chemise de surfeur bleu ciel, il faisait très deuxième couteau. Le genre de type qui se faisait toujours descendre avant les autres dans les films d'action. Après avoir longé toute la villa, il disparut dans l'ombre d'un garage prévu pour accueillir trois véhicules.

Quelques minutes plus tard, Peter vit ressortir une Corvette blanc cassé. Assis très bas, bien calé derrière son volant gainé d'un cuir taché, le mafioso de Las Vegas roula au pas jusqu'à la sortie de la propriété et là, une fois sur le chemin de terre, grondant et s'emballant comme un animal refusant ses rênes, la Corvette gagna la route de côte.

L'homme d'Izzie Goldman se rendait à Coastown.

A l'arrière de l'une des cinq voitures placées en surveillance, Peter s'était déjà préparé au combat. Au cas où. Selon lui, néanmoins, le petit malfrat était simplement sorti manger. Un avis que tout le monde, dans les voitures, semblait partager.

Tryall, San Dominica

Une silhouette sombre se hissa sur un long ponton, à l'extrême ouest de l'anse illuminée de Coastown.

Elle courut jusqu'au quai. Derrière elle, des thoniers dentelaient l'horizon de la mer des Caraïbes. Au-delà, c'était l'infini de l'océan, sur des milliers et des milliers de kilomètres. Puis la pointe sud de l'Europe.

Pour sa dernière nuit à San Dominica, Damian Rose avait choisi un uniforme de vigile beige. Le visage et les mains barbouillés de noir, il pouvait passer, de loin, pour un autochtone. Il portait à l'épaule un M-21 équipé d'un système de visée sophistiqué, et une lourde machette pendait à sa ceinture.

Après s'être assuré que personne ne le voyait, il traversa un grand champ, en direction d'une étroite route.

Peter regarda sa montre. 20 h 35.

La Corvette et les trois voitures qui l'avaient prise en filature descendaient lentement Henry Charles Street, dans les faubourgs nord de Coastown. Puis elles se retrouvèrent dans une petite avenue bordée d'épaves de voitures américaines. Des enfants en haillons de toutes les couleurs jouaient à se poursuivre dans les carcasses. Des Rude Boys coiffés de leur éternelle galette en laine tricolore tapaient sur le capot des voitures qui passaient.

La Corvette s'engagea dans une ruelle sombre et très fréquentée qui décrivait une grande boucle avant de longer le parc Queen Anne. Celui-ci était encore bondé de jeunes et de moins jeunes, tous hilares, tous en train de courir. Ils s'entraînaient pour le grand carnaval du Labor Day, qui marquait la fin officielle de la saison touristique.

— Il nous a repérés, maugréa Brooks Campbell. Qu'est-ce qu'il fout, ce con ?

Dans l'herbe humide, sur le flanc d'une butte, Damian Rose attendait calmement, avec son M-21 et son coupe-coupe. A une cinquantaine de mètres de lui, Clive Lawson attendait, lui aussi, un pistolet-mitrailleur Uzi posé sur la hanche. Clive ignorait sa présence.

A l'arrière de la Dodge, Peter était bombardé d'images quasiment subliminales. Des hommes et des gamins tous vêtus de chemises blanches flottantes. Des feux de camp qui dansaient dans le crépuscule. Quelques nuages violacés filant dans le ciel… Peter avait un peu l'impression d'être en patrouille, une patrouille de nuit bizarre et inutile imaginée par les débiles habituels. Le code, ou je tire. Et le nom de code est, bien évidemment, imprononçable.

— Il nous conduit au grand blond, fit Peter, comme pour répondre à la question posée quelques instants plus tôt par Campbell. Il fait exactement ce que vous vouliez qu'il fasse… Reste à savoir pourquoi.

Au même instant, la Corvette se déporta largement pour doubler un gros camion municipal, effectua un impossible virage à gauche en dérapant dangereusement, puis accéléra. La pente était escarpée, mais le coupé surbaissé fonça comme s'il roulait sur du plat.

— On s'accroche, messieurs ! cria Meral Johnson.

Ils atteignirent le sommet de la butte, puis redescendirent. La rue, étroite et assez calme, celle-là, jouait les montagnes russes.

La filature était en train de se transformer en rallye automobile. Lancés à toute allure, les véhicules aux moteurs gonflés bondissaient littéralement. Sur les trottoirs, les gens hurlaient.

Vingt heures trente-neuf. Damian vérifia soigneusement son M-21, ainsi que ses chargeurs.

Clive Lawson tenait toujours le pistolet-mitrailleur plaqué contre sa hanche.

L'estomac en suspension, le cœur battant à tout rompre, Peter regarda le lieutenant d'Isadore Goldman s'engager dans une allée non signalisée.

« Drapeau Blanc » parvint à le suivre de justesse.

Une Mazda verte manqua le virage et partit en glissade dans les ronciers. Harold Hill, au volant d'une Cougar bleue, échappa de peu au tête-à-queue et rétablit sa trajectoire.

Virage à droite, virage à gauche, à la limite du possible, chacun s'efforçant de rester dans la course, avec plus ou moins de réussite. Et soudain une grande et terrifiante ligne droite de cinq cents mètres parut surgir de nulle part.

Le hic, c'était qu'elle était noire de monde.

Depuis sa banquette, entre deux secousses, Peter vit des nuées de femmes, d'hommes et d'enfants s'éparpiller dans la confusion la plus totale. Celles et ceux qui, quelques secondes plus tôt, se promenaient en profitant de la brise du soir, se jetaient maintenant à terre. Quelques inconscients, toreros frustrés, agitaient leurs chemises et leurs maillots au passage des voitures. Une embardée de trop, et *bang !* une femme fut fauchée.

Vingt heures quarante-trois.

Dans la Charger blanche, Brooks Campbell dégaina son revolver. Le Dr Johnson klaxonnait à tout-va.

La Corvette passa en troisième. En quatrième.

Peter dégaina son Walther à son tour.

La voiture de sport avait presque deux cents mètres d'avance sur eux. Elle se réduisait à vue d'œil. Une petite boîte blanche avec des feux stop qui s'allumaient de temps en temps, collée à la route, en train de quitter la ville à la vitesse d'une fusée.

Puis Brooks Campbell cria, tendit le bras. La Corvette n'était plus devant eux, mais sur leur droite.

Elle fonçait sur une route de campagne. En pleine obscurité. Et l'écart s'était creusé.

Clive Lawson était en train de préparer son Uzi. Les pieds bien plantés dans le sol meuble, il tendit les bras. D'abord le droit, puis le gauche.

— On va le perdre, putain. On va le perdre !

Le visage en sueur, le chef de la police donna un grand coup de volant. La Charger blanche chassa de l'arrière, prit le virage, faillit se retourner. Projeté à l'autre bout de la banquette, Peter sentit son crâne cogner la vitre.

Ils accéléraient sur la petite route, et ne voyaient plus la Corvette. Brooks Campbell, radio en main, réclamait des renforts, des bataillons entiers, demandait jusqu'où allait Tryall Road...

Vingt heures quarante-quatre. Damian cala son M-21 contre le tronc d'un cocotier. Colla l'œil à la lunette de visée nocturne.

Puis, brusquement, tous les véhicules freinèrent brutalement. Il y avait une patte d'oie, de part et d'autre d'un immense kapokier.

— A gauche ! Hill prendra à...

La dernière partie des instructions de Brooks Campbell fut inaudible. Peter était en train de hurler à Meral Johnson de mettre le pied au plancher.

La vitre avant, côté passager, se désintégra.

Dans les bois résonnaient les détonations d'un fusil de gros calibre. Des tirs méthodiques. L'œuvre d'un professionnel.

Le toit de la Charger se déchira. Une autre vitre vola en éclats. Le coffre encaissa un coup qui aurait tué un éléphant.

Meral Johnson hurlait à Macdonald de se coucher.

Une tête fracassa une autre vitre.

— Couche-toi ! Couche-toi !

Nouvel impact dans le toit. Une balle se perdit dans la végétation, à l'emplacement du pare-brise. Les projectiles martelaient littéralement le véhicule.

En l'espace de trente secondes, plus d'une vingtaine de déflagrations se succédèrent.

Puis le calme retomba sur la petite route. Un silence presque magique, à peine troublé par le chant de quelques millions d'insectes et quelques milliers d'oiseaux tropicaux.

Bien que mal en point, la Dodge roulait toujours. Les jantes cliquetaient lamentablement.

Littéralement couché à l'avant, Meral Johnson plaqua la main sur la pédale de frein. Il parvint à arrêter la voiture.

Les hommes de « Drapeau Vert » arrivaient à la rescousse. Leurs lunettes noires rebondissaient sur leur nez, leurs souliers pointus claquaient sur le bitume.

Harold Hill accourait. Il était loin. Il hurlait quelque chose. Comme un père affolé voyant son fils en train de se noyer.

— Macdonald ! cria à son tour le policier noir. Macdonald !

A l'intérieur de la Dodge, Peter émit un gémissement.

Il s'assit. Secoua la tête pour faire tomber les débris de verre. Se rendit compte qu'il avait une plaie au crâne. Il saignait... Merde...

Il vit Campbell, à l'avant, qui fixait des yeux le pare-brise explosé comme s'il avait enfin résolu toute l'énigme.

Si ce n'était que le représentant de la Great Western Air Transport était trop mort pour comprendre quoi que ce soit.

Une balle révolutionnaire, fabriquée aux Etats-Unis, avait perforé son beau visage, puis fait un tour et demi sur elle-même, aspergeant de matière cérébrale les parois de la boîte crânienne.

Une seconde plus tard, Peter ne regardait plus Campbell. Il courait. Pour la première fois depuis le 25 avril, depuis Turtle Bay, il courait comme un malade, en tenant son Walther semi-automatique comme un bâton de relais.

Dans les bois, il venait d'apercevoir le grand blond.

Damian observa Harold Hill et le chef de la police dans le halo fumant des phares des voitures banalisées.

Puis il s'enfonça dans les fourrés, pour se rapprocher du bateau. Il allait s'échapper en beauté, et retrouver Carrie.

Plus qu'une scène, et le scénario serait bouclé.

Peter se fraya un chemin entre les arbres et les lambeaux de mousse dégringolant des branches. Les oiseaux et les insectes faisaient un bruit de tous les diables. La lune qu'il apercevait à travers la voûte luisante du feuillage semblait se déplacer à la vitesse d'une étoile filante.

Après une difficile progression d'environ soixante-dix mètres dans les taillis, Peter déboucha sur le parcours de golf du Tryall Club. Il aperçut la mer, et la fine frange du ressac. Il distingua vaguement le clubhouse, un bâtiment bas, tout en longueur, avec une cinquantaine de fenêtres donnant sur le green – fermé pour l'été.

Il écarquilla les yeux, scruta le parcours de golf plongé dans l'obscurité. Il était désormais en situation de combat, et avait retrouvé ses automatismes : recherche et destruction de l'objectif, tuer le mercenaire ou se faire tuer.

Son regard parcourut l'élégant clubhouse, parfaitement entretenu, le patio et l'allée de dalles noires, les haies et les jardins, la longue véranda peuplée de rocking-chairs.

Il avait perdu la trace du type quelque part entre les fourrés et le clubhouse. Il était rouillé. Oubliés, ses talents de pisteur. Un bon soldat vietnamien l'aurait déjà abattu, à ce stade.

Un trait d'argent transperça la nuit.

Et Peter entendit le premier cri de Meral Johnson.

Il se jeta à plat ventre sur la pelouse. Assez maladroitement, alors qu'il était d'ordinaire plutôt sportif.

Pas très professionnel, se dit-il en percutant le sol. Il se faisait l'effet d'une caisse tombant d'un camion.

Mais il était toujours en vie. Il bouffait de la terre, selon l'expression qu'il employait lui-même quelques années plus tôt, lorsqu'il était sergent-instructeur.

Et Johnson qui hurlait toujours comme un désespéré. « Reste couché, Macdonald ! Reste là ! Ne bouge pas, Peter ! »

Près du clubhouse, Peter repéra une silhouette armée d'un fusil. Le blond ? L'un des agents de Hill ? Comment savoir, alors qu'il faisait aussi sombre ?

Son cœur se mit à battre si violemment qu'il en perdait le souffle. Il suffoquait de colère. Il tenait tellement à avoir la peau de ce salopard ! C'était nul, c'était pathétique, ça allait à l'encontre de la philosophie qu'il s'était forgée depuis le Vietnam, mais tant pis, il voulait avoir la peau de ce type. Il le voulait à un tel point que cela lui faisait mal. Horriblement mal. Pourquoi ne m'as-tu pas abattu, connard ?

Soudain, un tir d'arme automatique claqua dans un bosquet, sur sa droite. Des petites flammes orange trouèrent la nuit. Echange d'amabilités, entre fusils de bonne famille.

Peter vit les balles déchiqueter le clubhouse. Les fenêtres du restaurant, les lampes volèrent en éclats. Une canalisation se détacha d'un mur comme s'il s'agissait d'un décor de carton-pâte.

Peter visa tant bien que mal la silhouette et pressa la détente de son Walther. Malgré la distance et les mauvaises conditions, il manqua de peu sa cible. La silhouette au fusil avait déjà disparu. Les tirs cessèrent, et il se mit à pleuvoir.

— Je t'emmerde ! beugla Peter.

Il se releva, ignora le déluge.

— Je t'emmerde, espèce d'enculé !

La pluie torrentielle déferlait par paquets entiers, et il n'y voyait plus rien. On aurait dit une fusillade sous une cascade. C'était la confusion la plus totale.

Et il se fit la réflexion que, finalement, Clive Lawson, ex-petit loubard de la banlieue londonienne, ex-British Commando, ex-combattant des guerres oubliées du tiers-monde, s'était laissé méchamment piéger...

Damian et Carrie Rose n'avaient pourtant pas la réputation de doubler leurs associés. Bien au contraire... Pourquoi donc n'était-il pas resté à Miami, bien tranquillement ?

Le mercenaire gisait sur le côté, dans une rigole, tel un poisson blessé. Il explora à tâtons son côté gauche. Il ne sentait plus rien. Puis la blessure le brûla atrocement, comme s'il était en train de s'immoler par le feu.

Lawson regarda sa montre digitale. Les chiffres argentés perçaient l'obscurité. 21:12. Pas de chance. Normalement, il aurait dû déguerpir à neuf heures, juste après avoir descendu Campbell. Les Rose étaient censés le tirer de là. En théorie.

Il rampa sur le ventre, en s'aidant des mains, comme s'il faisait la brasse. Arrivé au bout du caniveau, il se leva et courut.

Damian, véritable Dieu tout-puissant, décomptait lentement les dernières secondes du chaos final.

Il scrutait les lieux battus par la pluie à travers la lunette spéciale montée sur son fusil de précision. Elle lui permettait de déjouer l'obscurité, et d'ajuster sa visée dans un rond lumineux parfaitement net, d'un vert étrange, façon sapin de Noël.

L'œil collé contre la lunette, Damian suivait les petits personnages dans leur halo vert. Son index se plaça doucement sur la détente. La pressa doucement...

Peter, le visage ruisselant, ne cessait de cligner des yeux. L'eau lui balayait le front, lui lessivait le nez. Cette maudite pluie finissait par l'empêcher de respirer. Il n'y voyait plus rien, et il commençait à avoir peur.

Il n'entendait que le fracas de la pluie et ses propres halètements. Dans sa tête tourbillonnaient des scènes de combat, des images de pompiers luttant contre des incendies, des phrases sans rapport les unes avec les autres.

Devant lui, il aperçut des meubles renversés sous une véranda. Des tables et des chaises en fer forgé. Des plantes vertes couchées, des pots fracassés.

Il avança d'un pas…

Et distingua, de l'autre côté du patio, la silhouette d'un autre homme.

Accroupi devant un palmier nain, il n'avait pas remarqué la présence de Peter sur la terrasse.

Le jeune Américain profita des trombes d'eau qui s'abattaient sur les lieux pour se rapprocher discrètement. Trois mètres de plus, puis cinq mètres, et encore trois mètres. Il jugea qu'il était à présent assez près pour utiliser son arme de poing et faire mouche.

Il se mit en tête qu'il ne pouvait manquer son coup, même sous la pluie battante. Il tirerait au moins deux cartouches, il le savait. Et viderait son chargeur s'il en avait la possibilité. En espérant que le type n'aurait pas le temps de se servir de son Uzi.

L'autre se rapprochait. Il se déplaçait à croupetons, et tournait toujours le dos à Peter. Ses gestes étaient ceux d'un militaire professionnel.

Peter essuya du dos de la main ses yeux irrités par la pluie. Vit que l'homme avait les cheveux blonds.

Je ne peux pas le manquer, se répéta-t-il. Je vais être zen, je vais me concentrer et mettre dans le mille, calmement. Comme si j'étais à une vingtaine de pas de l'une de ces grandes tables renversées. Je prends mon temps, et je vise le trou, au centre, qui sert à glisser le parasol.

Ce que je viserai, ce sera la colonne vertébrale du type.

Un genou à terre, les bras bien tendus, le corps bien droit, les deux mains sur le Walther, Peter prit soigneusement sa visée. Il revit le premier meurtre à la machette. Puis Jane, Jane sur la place à Horseshoe Bay, puis son corps ratatiné dans la cathédrale.

Il fixa l'homme des yeux, au bout de son canon noir. Puis, enfin, donna de la voix :

— Hé ! Vous vous souvenez de moi, monsieur ? Hé, connard !

Dans le clubhouse du Tryall Club, un agent de police nerveux alluma une nouvelle allumette.

Il examinait une rangée de disjoncteurs dans l'armoire électrique.

Sa provision d'allumettes épuisée, il décida d'essayer le premier à partir de la gauche. Dans la pièce où il se trouvait, la lumière revint. Une lumière crue, pas très rassurante. Il vit qu'il y avait deux rangées distinctes de disjoncteurs. Ils étaient numérotés de un à six, et de sept à douze.

D'une main tremblante, il abaissa les disjoncteurs de la première rangée.

Au moment où l'homme se retournait pour faire face à Peter, toutes les lumières du monde parurent se rallumer en même temps. Les veilleuses du premier fairway revinrent à la vie. Une musique d'ambiance enregistrée envahit la véranda, en sourdine.

Sur le patio du clubhouse, le tonnerre se déclencha soudain. Des coups de feu éclatèrent sur tout le parcours.

Damian Rose tirait au M-21. Harold Hill, lui, répliquait avec un fusil très sophistiqué, de marque italienne. Et tous les policiers et agents présents sur place faisaient feu sur le bâtiment soudain illuminé.

La première balle de Peter fit mouche – un trou noir surgit au milieu du front du grand blond. Puis ce fut le choc, un choc monstrueux. Peter eut l'impression d'avoir été fauché par une voiture. Délibérément. Pas de bol, vraiment...

Partout, les vitres volaient en éclats. Les balles ricochaient en chantant sur le fer forgé, s'enfonçaient dans les boiseries avec un bruit mat.

Une détonation particulièrement puissante résonna, et un petit morceau de la tête de l'Anglais gisant à terre s'envola.

La troisième balle perfora l'arrière du crâne.

Puis il n'y eut plus que la lumière aveuglante et la pluie. Une pluie limpide légèrement bleutée. Et ce martèlement régulier et réconfortant, alors que les coups de feu avaient cessé.

Les agents envahirent les pelouses boueuses... Des costumes gris devenus foncés. Des bermudas et des canotiers. Des pistolets-mitrailleurs, des pistolets et des fusils portés à l'épaule.

La pluie miroitait dans les arbres comme des diamants dans la vitrine d'un joaillier. Un silence étrange s'était installé.

Harold Hill arrivait droit sur lui, l'air un peu ridicule, comme s'il s'était égaré sous la pluie. Ses souliers claquèrent sur la dalle du patio près de la tête de Peter Macdonald, puis il s'éloigna.

Peter sentit qu'il allait vomir. Il rassembla ses dernières forces pour lutter contre la nausée.

Un cercle de visages curieux commença à se former au-dessus de lui, tels des médecins autour d'une table d'opération, comme des passants penchés au-dessus d'un inconnu victime d'une crise cardiaque dans une rue de New York... Des soldats noirs, des agents du FBI et de la CIA. Qui souriaient tous comme s'ils étaient ses plus vieux amis. Qui le félicitaient comme s'il venait de marquer le but de la victoire.

Le chef de la police se penchait sur lui en essayant de lui montrer à quel endroit il avait été touché. Au ventre ? Au thorax ? Il est vraiment sympa, ce type, songea Peter. Il parvint à sourire.

— Ça va aller.

Et au milieu de cette pagaille – les lampes qui l'aveuglaient, la pluie, les sirènes de police, l'ambulance qui roulait sur le green –, un type barbu, un Blanc, traînait un cadavre en le tenant par les cheveux. Un connard de la CIA.

Un policier noir à l'allure sinistre prenait des photos au flash. Des photos du corps qu'on était en train d'emporter, bras et jambes écartés, des photos de Meral Johnson prenant Peter dans ses bras.

Un Américain mitraillait les lieux avec un appareil spécial à très haute sensibilité.

Brusquement, on apporta le corps à Peter, et tout le monde voulut lui parler en même temps. Peter s'assit et fit signe qu'on le laisse tranquille. Il regarda les yeux du mort, des yeux injectés de sang et révulsés, figés par le choc et la surprise.

Pas étonnant, se dit Peter. Le côté droit de la tête donnait l'impression d'avoir été mordu. Il n'y avait plus à proprement parler de nez, et ce qui restait de la bouche s'était crispé sur un dernier cri.

Peter revit la scène de Turtle Bay – le grand type hautain. Quinze secondes...

Il examina longuement le visage ravagé. Les cheveux blonds plaqués sur le crâne par la pluie. Le corps longiligne et musclé. Il se sentait extrêmement fatigué, et s'efforçait de repousser les images atroces qui déferlaient dans sa tête... Le Dr Johnson était en train de lui dire quelque chose, mais lui n'avait qu'une envie : insulter le salopard à la gueule éclatée.

— C'est lui, murmura-t-il finalement au chef de la police. C'est lui, l'enfoiré.

Et à cet instant, Peter entendit enfin ce que Meral Johnson était en train de lui dire.

*
* *

Damian courait en baissant la tête, et ses brodequins couinaient sur le bois glissant de la passerelle du Tryall Club. Il descendit l'échelle mobile, prit pied sur le ponton flottant et monta à bord du Bertram Sportsman qui dansait sur la petite houle.

Il ne put s'empêcher de sourire, puis partit d'un rire glaçant et forcé.

Il distinguait à peine les voix dans le lointain brouhaha du club-house. Il voyait les projecteurs de mille watts balayer les palmiers et les bananiers ployant dans la brise autour du premier fairway.

Puis les gyrophares rouges de deux ambulances contournèrent le bâtiment en cahotant, et le ululement des sirènes transperça la pluie et le vent.

Le travail était achevé. Après tant de mois – plus d'une année – où il avait mille fois cru devenir fou, après tant d'efforts, tant de souffrances, c'était enfin fini.

Dans la véranda du Tryall Club, l'ex-Béret Vert, Américain bon teint, témoin irréfutable, avait identifié Clive Lawson comme étant l'inconnu grand et blond de Turtle Bay… A quelques détails près, Lawson avait la même chevelure, la même coiffure, la même taille, les mêmes traits que l'homme que Macdonald avait aperçu le 25 avril. Au premier coup d'œil, on aurait pu prendre Rose et Lawson pour des sosies. Et Peter n'avait eu droit qu'à un bref coup d'œil, justement. Quinze secondes, à vélo.

Et étant donné l'état du visage de Lawson, tout cela n'avait guère d'importance, finalement.

Le grand Damian Rose était officiellement mort. Tué alors qu'il exécutait son contrat le plus fracassant. La logique psychologique du stratagème était classique. Cette fin était bien celle que tout le monde lui aurait prédit. Un peu comme si Evel Knievel avait trouvé la mort lors de l'une de ses cascades en moto.

A présent, si Carrie réussissait à Washington, ils étaient tranquilles. Personne ne se lancerait à la recherche du couple Rose avant longtemps. Jamais, peut-être.

Un autre sourire glissa sur les belles et minces lèvres de Damian. La pure satisfaction d'avoir bien mené la partie. La beauté absolue, vibrante, d'une œuvre parachevée. En ce temps de frime, il se faisait l'effet d'un bâtisseur de cathédrales.

Rapidement mais sans précipitation, Rose mit le moteur en marche avant de détacher, à l'avant, l'amarre en Dacron qui reliait le Sportsman à l'île de San Dominica. Le bateau tanguait sur la houle, et il pleuvait toujours aussi fort.

Damian était en train de défaire le dernier nœud lorsqu'un homme sortit de la cabine. Il était grand, mince, portait un ciré gris à capuche. Il rabattit sa capuche, dévoilant une chevelure argent qui venait compléter le look yacht-club.

— Bonjour, fit la silhouette sombre. Je m'appelle Harold Hill. Je me disais qu'il fallait qu'on se voie.

Le directeur de la Great Western Air Transport se hissa dans le poste de pilotage battu par les rafales de pluie. Harry le Dégommeur, un homme sur lequel on pouvait toujours compter.

— Je dois reconnaître que vous travaillez bien, poursuivit-il. Cela dit, ne faites pas un geste. Ne vous avisez pas de vous relever. On ne bouge plus un muscle.

Un Walther noir pointé sur le cœur de Damian, Hill se cala contre le dossier du siège pivotant.

— Pas mal, cette teinture noire, dit-il avec un sourire faussement admiratif. On veut jouer au plouc qui débarque de Lituanie ? Sympa. Que comptiez-vous faire ensuite ?

Damian s'efforça de rester calme. Il devait réfléchir, rester logique. Tout en répondant, il examina les différentes possibilités qui s'offraient à lui.

— J'allais repartir sur un vol commercial, dit-il à mi-voix, tout en se faisant la réflexion qu'il y avait quelque chose, chez Harold Hill, qui le perturbait, et qu'il n'arrivait pas à cerner. Maintenant que je suis officiellement décédé, comme vous le savez.

— Mais comme vous le savez, rétorqua Hill, Macdonald, lui, n'est pas mort. J'aimerais savoir : comment se fait-il que vous ne l'ayez pas tué, lui aussi ? Comme dans tout bon scénario, où il ne doit rester personne.

— J'ai essayé de voir à long terme et je me suis dit qu'un témoin vivant serait plus convaincant. Vous n'êtes pas d'accord ?... Macdonald a toujours fait partie du projet, vous savez.

Hill ne put cacher sa perplexité.

— Macdonald travaillait pour vous ?

Ne ris pas, se dit Damian. Ne te moque pas ouvertement de lui...

— Non, non, mais dès le départ, nous savions que pour être sûrs de pouvoir partir d'ici, il nous fallait un témoin capable d'identifier

Lawson. Nous savions que Peter Macdonald faisait du vélo et qu'il passait chaque après-midi à Turtle Bay. C'est donc là que nous avons prévu de monter la première opération. Et si Macdonald m'a vu, c'est parce qu'il était prévu qu'il me voie. Nous nous sommes même donné beaucoup de mal pour renforcer sa crédibilité par la suite... Dites-moi une chose. Est-ce Carrie qui vous a envoyé ?

Harold Hill secoua la tête.

— C'est moi qui pose les questions.

Le cadre de la CIA sourit et fit signe à Damian Rose de se lever. Lentement.

Et pendant que l'autre s'exécutait, il lui frappa brutalement la joue d'un coup de crosse.

— C'est tout ce que je peux faire pour l'instant, grinça Hill. Pour Carole. Ma femme... Maintenant, vous pouvez vous lever. Je ne vous frapperai plus. J'ai beaucoup de questions à vous poser avant de vous tuer, Rose. Pour ça, j'ai aussi une idée intéressante.

Damian se releva, la bouche ensanglantée. Il leva les mains en l'air, bien en vue, tel un prestidigitateur s'apprêtant à faire un tour de passe-passe.

Hill lui fit signe de remonter sur le ponton.

— Quand nous traverserons la pelouse, lui dit Damian d'un ton très calme, très mesuré, je veux que vous écoutiez attentivement ce que j'ai à vous proposer. Nous pouvons renouveler notre partenariat.

Lorsqu'il posa les mains sur l'échelle métallique, le côté droit de sa tête explosa.

Il piqua du nez, heurta du menton deux des barreaux d'aluminium, puis bascula en arrière dans le bateau.

Harold Hill leva la tête et découvrit le chef de la police sur la passerelle de bois. A ses côtés, Macdonald, légèrement penché, braquait un Walther sur l'embarcation.

— On vous a suivi, fit simplement Meral Johnson.

Peter Macdonald n'ouvrit pas la bouche.

En passant près du corps de Rose, Hill aperçut la machette sur l'un des sièges en cuir. La plus obscène des armes. Le hachoir avec lequel ils avaient assassiné Carole, en Virginie.

D'un geste d'une rapidité et d'une violence inouïes, il abattit le coupe-coupe. Le coup, en travers du visage de Rose, fit un bruit sourd – on eût dit un boucher tranchant une côte de bœuf sur son billot. Damian renâcla comme un cheval.

La machette s'éleva, puis retomba, telle une guillotine de fortune.

Pour finir, Hill dégagea la tête d'un coup de pied. Elle s'écrasa contre un plat-bord et retomba dans une flaque d'eau de pluie noire.

Harold Hill gravit l'échelle. Pas un mot au policier noir, pas un mot à Peter.

— A quel partenariat faisait-il allusion ? voulut savoir le jeune Américain.

Il laissa la question s'évaporer dans l'air de la nuit. Cela n'avait plus d'importance. La CIA était dans le coup, évidemment...

Ils restèrent longtemps, tous les trois, sur la passerelle détrempée. Le Noir et le jeune Américain côte à côte, muets. Puis Hill détacha la dernière amarre. Ce n'est pas fini, songea l'homme de la CIA. Maintenant, il faut s'occuper de ces deux-là...

Alors que le Sportsman partait à la dérive, Meral Johnson fit feu à plusieurs reprises sur la coque du bateau.

— Pour les poissons. Cadeau.

Harold Hill, dont les mains tremblaient encore quelques instants plus tôt, commençait à se sentir mieux. N'était-il pas, d'une certaine manière, le héros de l'histoire ? Celui qui avait sauvé l'Agence ?

Mais ce titre revenait peut-être à Carrie Rose.

Après tout, c'était elle qui avait appelé l'ambassade pour lui dire où trouver Damian, pour lui révéler les derniers détails du gigantesque complot. J'aurais dû le dire, regretta Harold Hill. J'aurais dû lui dire que Carrie avait fini par le donner. Pauvre type. Se faire doubler comme ça, lamentablement, par la femme avec laquelle il avait couché pendant neuf ans. Qu'il avait sans doute aimée. A laquelle il avait tout appris...

On lui réglerait son compte, à elle aussi. L'affaire se terminerait en beauté.

Les trois hommes contemplèrent longuement le bateau qui s'éloignait et s'enfonçait lentement avec un bruit de bulles. La pluie n'avait toujours pas cessé.

— Peter vous a posé une question, reprit Meral Johnson. Quel genre de partenariat aviez-vous conclu avec ce type ?

Brusquement, Peter leva une nouvelle fois son Walther. De côté, presque sans regarder, semblait-il. Il ne tira qu'une fois, mais la force de l'impact projeta Hill à trois mètres, dans l'océan.

— Pour les poissons. Cadeau.

Sur quoi l'Américain et le gros policier court sur pattes remontèrent lentement jusqu'au clubhouse.

Samedi 12 mai 1979

Raid sanglant au St James

12 mai 1979, Washington

Samedi matin

Le douze, à six heures un quart, deux grosses pointures de la CIA – Alex Fletcher, vingt-sept ans, et le chef de groupe adjoint John Devereaux – sortirent d'une Pontiac Le Mans blanche derrière l'hôtel St James et traversèrent en courant la pelouse humide de rosée.

A l'intérieur de l'établissement cossu et luxueux, quelques-unes des personnalités les plus riches et les plus en vue des Etats-Unis dormaient profondément. Dehors, sous un ciel printanier déjà admirablement bleu, les merles sautillaient sur le gazon en lançant leurs premiers trilles. L'un d'eux, au plumage bien brillant, disparut au-dessus de la barrière du jardin comme s'il allait chercher le *Washington Post*.

Alex Fletcher portait un gilet à poches multiples et un pantalon en velours, et un .38 Smith & Wesson sanglé sur son T-shirt.

Devereaux, cinquante-six ans, chemise blanche ouverte et complet sombre, avait une cigarette fichée au coin des lèvres, comme un bout de ruban adhésif blanc.

Les deux hommes pénétrèrent discrètement dans l'hôtel par la porte de service réservée au personnel d'entretien. Ils tombèrent sur un gardien qui dormait, un chat siamois blanc sur les genoux. Le type s'était assoupi sur sa chaise de toile pliante et ronflait comme une machine-outil défectueuse.

— Bonjour, monsieur *Le Chat*, fit Devereaux, avec un sourire.

— Tu parles d'un hôtel, chuchota Fletcher. Je comprends que la police, ici, ait un boulot monstre.

Ils empruntèrent un escalier de service gris cuirassé, nu et étonnamment sinistre. Sur une marche, il y avait une caisse remplie de litière pour chats malodorante. Ils débouchèrent enfin dans un élégant couloir dont le mur bleu pastel affichait un grand 5 rose.

— Je préfère ça, souffla Fletcher.

Le jeune agent tapota de l'ongle un lustre en vrai cristal.

— La classe, Devereaux, la classe.

— Je t'en achèterai un, pour ta copine et toi, grommela l'autre. Dès qu'on aura fini ici. Présentez, armes !

Les deux hommes s'arrêtèrent devant la chambre 502. Un numéro en gros chiffres dorés sur fond pastel. Des moulures et ciselures de très bon goût.

Alex Fletcher respira à fond, émit un petit borborygme cynique, puis, lentement, introduisit un passe dans la serrure.

Son collègue sortit de son blouson un .44 Magnum, un engin bruyant et dangereux qui ne plaisait pas du tout au jeune Fletcher. Pour lui, l'énorme revolver noir à canon long était « une arme nucléaire ».

Il lança à Devereaux un petit sourire en coin.

— Essaie de ne pas me pulvériser par erreur. Je dis ça comme ça. Prêt ?

— Pour Harold Hill et pour Carole.

— Mmm.

La belle porte s'ouvrit sur une épaisse moquette mauve. Les deux agents virent une jeune femme aux cheveux longs et clairs assise dans un grand lit aux draps froissés. Le soleil avait déjà envahi la spacieuse chambre.

— Qui êtes-vous ? demanda la jeune femme en se penchant vers sa table de nuit.

— Non ! hurla Fletcher à pleins poumons.

La détonation du .44 de Devereaux secoua toute la pièce.

La jeune femme fut littéralement projetée contre le mur tendu de velours rouge et les barres de cuivre de la tête de lit. Elle poussa un petit gémissement, et ses yeux verts se révulsèrent. Betty Port-Smithe glissa lentement jusqu'au sol.

Le jeune Fletcher regarda le corps, dépité, et renversa une petite table basse d'un coup de pied.

— Pas de questions, pas de réponses. Merde. Merde, Devereaux.

Devereaux se contenta de hausser les épaules. Il huma l'air de la pièce. Le parfum Joy et la poudre faisaient un curieux mélange.

Le vieux briscard de la CIA ouvrit une fenêtre qui donnait sur le Rock Creek Park, et fouilla le petit sac à main en daim. Il y trouva des lettres signées d'un certain Damian, des cartes de crédit et des papiers au nom de Carrie Rose. Et dans la table de nuit, il découvrit un petit revolver de calibre 38.

— On ferait bien de les appeler, dit-il, sourire aux lèvres. Pour leur annoncer qu'ils n'ont plus à se soucier de cette salope de madame Rose. Il n'y aura pas de scandale à la Maison Blanche aujourd'hui.

Tout comme Harold Hill quelques heures plus tôt, John Devereaux se fit la réflexion qu'il était un héros, lui aussi. On lui avait dit de ne pas ramener la femme vivante.

La Saison de la Machette était enfin finie.

ÉPILOGUE

L’été

29

Je suis Superwoman... Superchienne... Supersalope... Damian m'avait entraînée à être capable de tout, mais il ne me laissait rien faire. Je stagnais. Il ne m'autorisait même pas à vendre mon journal. Quand ses obsessions personnelles sont devenues invraisemblables – et dangereuses pour moi comme pour lui –, il a fallu que je le tue. Je n'avais pas le choix. *Il fallait que je le fasse.* Aujourd'hui, je suis seule à la tête du magot. Il n'y a pas eu d'ennemi public de mon calibre depuis des décennies... Mes tarifs ? A partir du million de dollars. Et je les vaux. Je suis unique, comme une toile de maître. S'offrir mes services revient à se payer Manson, Speck, Himmler et Bormann en même temps... Je peux faire tout ce qui vous passe par la tête, et je suis même capable d'imaginer des choses qui ne vous traverseraient jamais l'esprit. La Saison de la Machette n'était qu'un préambule, aussi primitif que le laisse supposer son nom. Un début, rien de plus. La violence et le désordre à l'Âge de la Pierre Taillée. Aujourd'hui, cela devient intéressant. Je crois sincèrement que nous entrons dans l'Âge de la Machine.

Carrie Rose, *Journal*

13 juin 1979, Coastown, San Dominica

Le Premier ministre Joseph Walthey paradait au milieu de la foule enthousiaste qui avait envahi le quartier de Horseshoe Beach. Il avait l'impression d'être devenu un héros national.

Des admirateurs tournaient autour de lui comme des oiseaux affamés. On les avait payés. La plupart étaient des fonctionnaires. Ils caressaient son costume couleur crème, essayaient de toucher ses cheveux bouclés et gominés, et les rondeurs de son visage de Père Noël black.

La scène fut filmée en 35 mm ; elle ferait l'objet d'une diffusion spéciale dans les treize cinémas de San Dominica. Le service de presse du Premier ministre se chargea également de faire prendre des centaines de photos qui seraient ultérieurement distribuées aux journaux du monde entier.

Sous l'immense dais aux couleurs chatoyantes qui avait été spécialement installé sur la promenade, face aux eaux scintillantes de la mer Caraïbe, Walthey annonça que San Dominica allait bientôt renouer avec la prospérité. L'affable et souriant Premier ministre se garda toutefois bien de donner les raisons de cet optimisme soudain.

14 juillet 1979, Coastown, San Dominica

Réuni en session extraordinaire, le parlement san dominicain nomma le Premier ministre Joseph Walthey président à vie. Walthey prononça un long discours dans lequel il fut surtout question de l'identité nationale de San Dominica, de l'économie et du tourisme. Il mentit effrontément.

1er octobre 1979, Turtle Bay, San Dominica

Le premier casino de San Dominica, situé dans l'enceinte du Playboy Club, se trouvait à moins de huit kilomètres de l'hôtel Plantation Inn.

Son inauguration officielle fut quelque peu ternie par des manifestations d'étudiants. De jeunes Noirs brandirent l'affiche psychédélique de Dassie Dred qui circulait désormais dans les campus universitaires des Caraïbes aussi bien que ceux d'Amérique centrale et d'Amérique du Sud. Ils passèrent de la musique reggae et soul à plein volume, et au Playboy Club, quelques voitures et murs furent taggés d'inscriptions DRED ! On pouvait lire, sur certaines pancartes : JOE EST LE HITLER NOIR.

3 mars 1980, Zurich, Suisse

Près de dix mois après la mort de Damian, l'après-midi du 3 mars 1980, quatre millions et demi de francs suisses furent déposés sur le compte numéroté de Mme Susan Chaplin, au Schweizer Kreditverein de Zurich. Ce qui représentait une somme d'environ deux millions de dollars, soit le montant de la vente du journal.

Curieusement, juste après avoir retiré l'équivalent de six cent mille dollars en mai 1979 (une précaution que Damian n'aurait pas désavouée : et s'il avait réussi à échapper à Hill, au Tryall Club ?), la jeune femme avait déposé l'intégralité de la somme sur un nouveau compte.

En remplissant les formulaires de déclaration fiscale, S.O. Rogin fit une nouvelle fois le rapprochement entre Mme Chaplin et l'actrice Faye Dunaway. Ce qu'il peut y avoir comme comédiens et comédiennes, songea le gnome au teint rougeaud. Ces Américains, il faut toujours qu'ils se donnent en spectacle.

9 mai 1981, Paris

Peter Macdonald s'était mis à porter tous les jours la même veste Harris Tweed et le même pull vert ras-du-cou. Il s'était laissé pousser les cheveux – on ne voyait plus ses cols de chemise – et arborait une grosse moustache en broussaille.

Chaque matin, de dix heures à onze heures, il prenait son café au lait. Toujours dans les mêmes endroits de Saint-Germain-des-Prés, le Flore ou les Deux Magots, ou parfois chez Lipp. Il lisait l'*International Herald Tribune* et regardait passer les jolies femmes, comme tous les Américains à Paris. Il lui arrivait même de lire des passages de l'obscène et arrogant journal intime.

Meral Johnson, à côté de lui, prenait son thé avec une demi-douzaine de biscottes. Opposant au régime de Joseph Walthey et ouvertement anti-CIA, il s'était définitivement mis en congé de la police. Devenu le compagnon de voyage de Peter, auquel il lui arrivait de donner des leçons de morale, il exerçait sur le jeune Américain une influence bénéfique.

Ils prévoyaient de passer au moins les six prochains mois en Europe. A Paris et dans la région… sur la Côte d'Azur, et plus particulièrement à Nice… à Zurich, et plus particulièrement dans le quartier de la Stampfenbachstrasse. Six mois, et plus si nécessaire.

Ce matin-là, en dégustant son petit café, Peter se fit la réflexion que Paris était bien agréable au mois de mai. Rien à voir avec le soleil des Caraïbes, bien sûr, et Jane n'était pas là pour profiter de ces instants avec lui, mais Paris, finalement, lui plaisait bien.

Ce matin-là, à dix heures et demie, un petit Français au style branché, portant une grosse mallette de cuir, vint s'asseoir à leur table.

— C'est vous, les deux gars qui cherchez Carrie Rose ? leur demanda-t-il.

Impression réalisée sur CAMERON par

BUSSIÈRE CAMEDAN IMPRIMERIES

GROUPE CPI

à Saint-Amand-Montrond (Cher)
en avril 2004

FLEUVE NOIR – 12, avenue d'Italie
75627 PARIS – CEDEX 13
Tél. 01 44 16 05 00

N° d'impression : 041496/1.
Dépôt légal : mai 2004.

Imprimé en France